田園に暮す

鶴田 静
エドワード・レビンソン＝写真

文春文庫 PLUS

田園に暮す

本文デザイン　大久保明子
斎藤深雪

目次

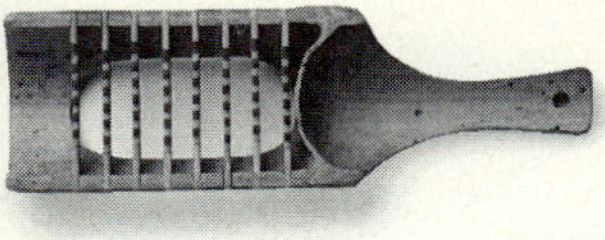

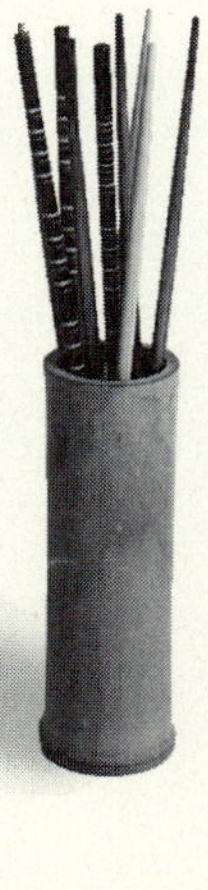

第5章　分け合いの家作り　89

第6章　わが庭に集う　117

第7章　野菜と共に　145

第8章　夢は続いていく　165

第 1 章

田園生活の四季

北風が鳴る、ごうごうと鳴る。風の音とコーラスをするように、ガラス戸が身を震わせる。あまりの騒々しさに窓辺によって外を眺めると、枯れすすきが弓のようにしなり、竹やぶが台風の海に浮かぶ船の帆のようにもんどり打っている。それでも空は知らん顔を決め込んで青く光って静まり返っているし、太陽も何食わぬ顔で輝いている。

「今日は外は寒いなあ。さあて何の仕事をしようかな？」

夫が、大好きな**アッサムの濃い紅茶**をすすりながら独りごとを呟《つぶや》くと、

「今日はワープロに向かいなさい、って天気が言ってるわ」

と、私も日本産の無農薬栽培の紅茶をごくんと一口飲んで相槌を打った。

日本の真ん中の半島にある暖かい地方とはいえ、冬の冷たさは、〝暖かい〟という先入観をもって来た人に驚かれるほどなのだ。しかしこの典型的な農村の民家は、風土をよく考えて建てられていて、真っすぐ太陽に向かっているこの小部屋には、日光をたっぷりと吸い込んだ枯れ草の匂いが充満して暖かい。それで「サンルーム」と呼んでいるこの部屋で、午前八時から九時にかけて朝食を取るのは、真冬でも暖房が要らないからだ。朝食が遅い理由は、単に怠惰からではなく、省エネルギーを考えてのことなのだ。太陽の動きに連れて、居る部屋を変えるのがわが家での冬の住み方の基本だが、その都

度それぞれの道具を、カタツムリのように背負って移るのである。

朝食はたいてい夫が主なものを用意する。もっとも、私のほうが早く起きれば、私がお湯を沸かしパンを切るのは当然のこと。しかし、夫が毎朝欠かせない卵料理は、彼が好きなように料理するのに任せる。

「あなたは卵を食べますか？」

優しい夫は、必ずこう聞いてくれるから、私はその時の気分で食べたり食べなかったり。気紛れな妻をもつ夫は、よけいな気を遣わなくてはならない。

「今日はどんな卵なの？」

「僕の得意な焼き卵」

〝焼き卵〟という料理名はあまり聞いたことはないが、要するに、溶いた卵をフライパンに薄くのばして焼くのだ。そしてその時にあるいろいろな野菜を細かく切って混ぜ入れる。夫は薄味が好きなので塩はあまり入れない。お皿の上の卵に大根下ろしを載せ醤油を垂らす。オムレツのようにバターで焼いた卵焼きと大根下ろし、この組み合わせはあまりしないようだが、食べてみるとさっぱりとしておいしい。

パンは、天然酵母・国産小麦のものを、週一度まとめて買う。パンが大好きな私たちだから、そしてそのパンがとてもおいしいので、いつも途中で切らしてしまう。しかしそれもよい。そうなれば、パンケーキや**スコーン**を焼くからである。夫がパンに塗るの

おいしい紅茶の入れ方

やかんにたっぷりの熱湯を作る。ポットとカップに注いで温める。紅茶の葉小さじ1×人数分+ポットの分1杯をポットに入れ、沸騰したお湯を注ぎ、ティー・コージー(ポットに被せる帽子)で覆って3分間置く。茶こし(温めておく)でこしながらカップに注ぐ。濃すぎる場合のために熱湯を用意する。ミルク・ティーの場合、ミルクは室温以上にする。

はいつもはマーガリンかオリーブオイルだけだが、パンケーキやスコーンとなれば、いただいたブルーベリージャムやメイプルシロップをたっぷりつけてもやましくはない。だから夫は、次の買い物までに、パンが途切れることも願うのだ。

何時までにどこへ行かなければならない、という制約のない暮らしをしている私たちは、二人の大好きな朝の日課をたっぷりと時間をかけてする。それは、新聞読み。新聞の記事もまた、朝食の一部分なのだ。私たちは活字の一字一句を、しっかりと消化するよう、一生懸命に嚙み砕いて胃の中に、いや頭の中に入れる。

家の後ろに植林の山が続く。その入り口に住んでいる私たちにまで生々しいニュースが届くのはまれだし、地球の裏側にまで関心を寄せる私たちには、ローカルニュースだけでは物足りない。テレビといえば、山があるので電波障害が生じ、テレビゲームの記号のような画面しか出ないから、とても見られたものではない。だからよけいに、活字という、目に確かなメディアを尊重するのだ。

もっとも、この辺では夕刊を取る家庭は少ないので、わが家だけのために遠路はるばると配達してはくれない。省エネ（バイクのガソリンの節約）と省労力のために、夕刊は翌日の朝刊と一緒に届けられる。それでも新聞が配達されるのはありがたいことで、読みたくても配達されないところもある。

新聞やテレビなど真っ平ごめん、とまったくメディアを避けている人々もいるが、俗物の私たちにはそれほどの勇気はない。したがって、新聞は私たちの毎日の精神的なビタミン剤として、窓辺で育てている貝割れ大根のサラダのように、朝食のつけ合わせに欲しい一品なのだ。

北風の音の中では、電話はいつもより小さく響く。世間ではきっと、電話のベルが仕事始めの合図だろうが、わが家ではそうではない。

「今度の日曜日、うちで食事をしませんか？」

という結構なお誘い電話。原稿の締切日の確認でも、請求書の支払いの催促でもない。けれどもまあこれを潮時に、

「さあさあ、そろそろ何か始めましょうよ」

とお互いがお互いを叱咤激励して、今日を始める。仕事開始時間は、気分と状況次第。やりたくなければ休日にしてもいい。毎日が日曜日になったり、毎日が月曜日になったり。私たちの生活も人生も、リズムだけは私たちの好みのままに進んで行く。いや、進ませて行く。

ボオーッ、ボオーッ、ボオーッ。そよ風に苗を打ち振るわせている緑のたんぼの上を正午を告げるサイレンがのんびりと響き渡る。それは午前中の仕事の終わりの合図なのだろうが、船が港を出発する合図にも似ている。たんぼは緑の海原のごとく、広々とし

ハーブ・スコーン（12個分）

小麦粉4カップ、ベーキングパウダー小さじ3、塩小さじ1をふるいにかける。バター大さじ6を小さく切って加え、指でよく混ぜ合わせる。好みのハーブをみじん切りにして加え、牛乳1$\frac{1}{2}$カップを少しずつ加えて混ぜ、生地が手から離れるようになるまでこねる。打ち粉の上に生地を置き、直径4～5㎝の棒状に成型し、12等分する。平たい円形にする。半分ずつするとやりやすい。油を塗った天板に並べ、180～200℃のオーブンで約20分焼く。

綿毛に包まれたぜんまいの若葉。春一番

ている。

田川さん夫妻が、わが家の土手の下のたんぼで野良仕事に精を出している。二人が畦道に座り込んでお弁当を広げているらしいことは、わが愛犬サニーが尻尾を振って飛んで行ったことから分かる。彼女は、わが家ではめったにもらえないウインナソーセージや魚の一かけらをねだるために、このサイレンを聞くとたんぼに降りて行く習慣になった。それは春たけなわの印でもある。

サニーがよそ様のお弁当の分け前を欲しがるのは、買い主の私たちが肉や魚を食べないことがその理由である。私と夫の食生活には長年、それらが含まれていないのだ。それでベジタリアンと自称している私たちである。雑食性の生き物でありながらどちらかというと肉食が大好きな犬には、はなはだ迷惑な買い主だ。肉らしい肉は決して与えられないから、彼女は自分の家でありつくのはとうにあきらめ、他人のお裾分けを当てにするという次第。

わが愛犬は、今日は何をごちそうになるのかしら、と思っていると、田川のおばさんがやって来た。きっと何か迷惑をかけたに違いない。と、思いきや、背中の籠《かご》の中から小さな包みを取り出した。

「これ、今朝作ったからあがんなさいよ」

山菜の混ぜご飯だ！　たけのこやわらびやふきが、ご飯よりも多いかと思われるほどぎっしりと、米と米の間に詰っている。お陰で今日のお昼ご飯は料理をしなくてもよくなった。

「おなかが空きましたね」

と、写真機を肩にした夫が山から戻る。昼食の用意はまだ何もできていないのではなかろうか、と不安げな響きであらかじめ言いながら台所に入ってきた。だがどうだろう、染付けの青いお皿に山菜の混ぜご飯、昨夜の残り物の**せりのスープ**が、生のせりの一枝の浮き身と共に赤い漆のお椀に盛られている。

私は本当はこれだけですませたいのだが、庭に生えている三つ葉がそよそよと風になびいて私を誘うので、それを摘んで卵とじにし、古伊万里の赤絵の小鉢によそった。

「へーえ、すてきなお昼ご飯ですねえ」

「すごい早業でしょう?」

午後の仕事はたいてい午前とは違うことをする。食後のお茶代わりの、**しょうがのホットハニー**を飲んですっきりとした後、午前中外で仕事をした夫は、午後は暗室に籠《こも》って写真の現像や焼付けをする。私は、そよ風に吹かれたいから外へ出よう。

菜園では草が野菜の根元まで伸び、野菜の栄養をあわよくば自分のものにと、油断もすきもない。そこを私が抜いてしまうのだから気の毒だ。しかしそんなことで弱音を吐く種ではなく、どんな状況でもちゃんと子孫を増やすのだから見上げたものだ。ついで

せりのスープ

玉ねぎのみじん切りとじゃがいもの乱切りをバターで炒める。水と塩を加えて軟らかく煮る。途中でせりを加えて軟らかくなるまで煮る。荒熱を取り、ミキサーでクリーム状にする。鍋に移して温めながら、塩、こしょう、醤油で調味をする。水またはミルクで濃さを調節する。

海苔とチーズのオープンサンド

パンに塩、マヨネーズ、からしなどで調味し、チーズ（カッテージ、クリーム、チェダーなどのナチュラルなもの）を塗る。焼き海苔をせん切りにして載せる。レタス、きゅうり、玉ねぎの薄切りなども一緒に。パンは、全粒粉や穀物、天然酵母のものだと、よりおいしい。チーズでなく納豆をつぶして塗ってもおいしい。

しょうがのホットハニー

はちみつを熱い湯で溶く。しょうがをすりおろして全部加え、よく混ぜ合わせる。好みでレモン、ゆず、甘夏かんなどの汁を加える。

に摘んだ野菜で料理をし、すばらしいのが出来たら夫に写真を撮ってもらおう。

「サニーっ！　行きましょう！」

と私が散歩に誘う前に、わが愛犬はもう踊り狂いながら通りへ出て、尻尾を振り振り私を待っている。鎖のない犬。今時何と幸福な犬だろう。サニーの後から植林の山あいの道を行く。ずいぶん大きな籠を用意したのだが、片道を行っただけでもう、草花で満杯になってしまった。田舎に越したら念願の大きな花畑を作ろうと考えていたのだが、野の花々のあまりの豊かさに、その必要がなくなった私は感謝の思いで一杯である。もちろん花をくださる農家の主婦たちの、心の大きさにも。

太陽の高さは、お茶の時間を告げている。家に入る前に、首を伸ばして向こうのたんぼを見てみると、田川さん夫妻はまだ草取りに励んでいるではないか。私は大声で呼びかける。

「田川さあん、お茶に来てくださあい！」

ついでに夫の暗室のドアを叩く。

「お茶ですよっ！」

田川さん夫妻は恐縮しながら静々とやって来た。杉の切り株の椅子と、電線ケーブルを巻いてあった丸い木のテーブルの足元には、白いツメクサの花の模様のついた緑色のカーペットが敷き詰められている。今摘んできた野の花々を、そのままテーブルに置いてひとまず愛でるとしよう。

乾いた草のひなびた香りのするスギナのお茶と、豆腐で作ったパイと、**海苔とチーズをのせたオープンサンド**、これが今日のお茶受け。

「豆腐のパイ、田川さんのお口に合うかしら」

「ええ、おいしいですよう。珍しいねえ。へーえ、海苔とパンねえ」

別に無理をしている様子ではなく、案外無邪気にぱくついているのでほっと胸をなで下ろした。食習慣というものには保守性が伴うものだ。まして、典型的な日本型食生活をしている高齢の農民に、豆腐を甘い西洋風ケーキにしたものや、海苔とパンの組み合わせがどう受けとられるか不安だった。だが彼らは勇気があり、心が広い。都会人と珍奇な料理の新しい味を、嫌な顔もせず受け入れてくれるほど寛大である。

そこへ、顔を出したのは、近くに住む画家の草山さんだ。

「妻がよもぎ団子を作ったから、一緒に食べようと思って……。ああ、ちょうどいいところへ来たようですな」

初めて同士の田川さんと草山さんを紹介する。草山さんが開いて見せてくれたスケッチブックには、野の草花の輪郭や働く農民の動きや山々の稜線が、軽やかに流れるように描かれていた。

「これは、実は田川さんたちですよ」

なすのホットサラダ

なすを薄い輪切りにし、両面を油で焼く。熱いうちに、ニンニクを効かしてみそで味をつけたドレッシングをかける。トマトやピーマンと一緒に、美しく器に盛る。

とうもろこしのチャウダー

ニンニク、玉ねぎ、じゃがいもをみじん切りにし、バターで炒める。小麦粉少々を加えてさらに炒める。水またはだし汁を徐々に加えて煮る。とうもろこしの粒を入れ、全体が軟らかくなるまで煮る。みじん切りのピーマンとトマト、好みでミルクを加え、塩、こしょう、醤油で調味する。

お好み焼き・納豆入り

キャベツ、玉ねぎ、ピーマン、しその葉などを細かいせん切りにする。小麦粉、卵、塩、水を混ぜ合わせ、刻んだ野菜と納豆、青海苔、紅しょうがを加え、さらによく混ぜ合わせる。フライパンに油を熱し、お玉に1杯分を流し入れ、両面をこんがりと焼く。ソース、からし醤油などでいただく。

指し示された絵に、田川さん夫妻は、ホッ、ホッ、と恥ずかしそうに小さく笑った。日光が私たちの後ろに影を作るまで、のん気なお茶の時間は続く。柿の木や山椒の木に、夏を告げる鳥たちが飛んで来て、美しくさえずっている。その音色も美しいが、黄色や赤や瑠《る》璃《り》色《いろ》の羽毛も見事なものだ。

観光的に春もよし秋もよしのわが家だが、どちらかといえば夏の訪問は得をするだろう。海へは車で十五分。住民のみぞ知る穴場に案内されるかもしれない。裏の野原ではテントを張ってキャンプも出来る。浜千鳥も飛んで来ることで有名な近くの浜辺での昼食は、**とうもろこしのチャウダー**、**お好み焼き・納豆入り**、**なすのホットサラダ**などをパラソルの下、砂浜の食卓で。流れ寄せるワカメなぞを拾い、サラダにするのも味なものだ。

もちろん釣りの好きな人であれば、釣り場もここかしこにある。私たちはお相伴《しょうばん》しないけれど、もし鰯《いわし》や鯵《あじ》が釣れれば、お刺身やたたきなどを一口味見させてほしいものだ。などと内心で思っていると、漁師の船岡さんと妻の浦子さんが、

「今朝の漁で獲れたよ」

と、大きなイナダを下げてやって来た。一方の手にイナダ、そしてもう一方にはガラスのように光っている刺身包丁。日焼けした漁師のごっつい手の間から、ピンク色の薄

い花びらに変じた魚の切り身がひらり、ひらりと現れてくるのは手品にも似ている。魚など下ろしたことのない、そして特別な機会がないと食べることのない私たちのために時々こうして、魚と包丁が一緒に訪れてくれるのは何ということだろう。

船岡さんのお陰で、獲れたばかりの蛤《はまぐり》を六十個、カツオを数匹いただいてしまう私たちは、もうベジタリアンなどとは言えなくなってしまうではないか。だがそのお陰で、海の幸という、もう一つの自然の恵みについて思い巡らす機会を得るのである。

船岡さんと浦子さんは、典型的な夫婦の役割をこなしている。夫が海に出て、漁がすむと彼女のところに無線で帰港を知らせる。彼女は大勢の女たちと港で待ち、水揚げをする。夫婦の息がぴったりと合った仕事である。海は優しくそして厳しい。厳しい時、漁師たちは誰彼構わず助け合って、お互いの命を守る。

そんな海の人間の心意気が、日常生活にも浸透しているのだろうか。私たちよそ者にも、分け隔てなく接してくれて、とても優しい。海の町自体、明るくおおらかで、うっそうと茂った森から海辺の町に出ると、私など頭がくらくらっとなって、心地好いめまいを感じる。里と海と、両方の環境をもっている私たちは、何とぜいたくなのだろう。

果てしなく青い空の下に、果てしなく続く海がある。金色に染めようとする太陽の光を跳ね返し、海はあくまでもエメラルドグリーン。海水浴客の退けた浜辺で遊んでいると、向こうから近江さんが、サーフボードを抱えてさっそうとやって来た。三人の子の

り描く

母親ながら、この海で産湯を使って以来、長年鍛えたサーフィンの腕と端麗な容姿は、浜辺を飛び交うかもめにも劣らない。彼女は浦子さんと一緒に、海岸を清掃する活動をしている。自分の生きる足元を見つめ、そこから正常にしていくことが今最も必要とされているのだ。

　田舎には都会的ナイト・ライフというものはない。映画館や繁華街はないから、楽しみは自分で作り出すのである。酒を酌《く》み交わし、カラオケに興じる人々もいるだろうが、私たちは少し趣の異なる楽しみ方をする。

　田舎の夜には、漆黒の空に繰り広げられるファンタジーを楽しむことが出来る。真っ暗な庭先で敷物に寝転び、天空で星座を読み、天空におとぎ話を書く。電球ほどの大きさのある星々は、天の川にばらまかれた宝石のように光っている。先ほど子どもたちが興じていた花火は天に上り再び落ちるのだろうか、星が光の尾を流して落ちて来る。

「あっ、流れ星！　さあ、願いごとよ！」

　流れ星を見つめながら、大人も無邪気にそして真剣に願いごとを考える。まあ、まずは自分の健康と仕事の成功だろうか。そして世の中の平和も祈りたい。いや、こんな風に、流れ星に願いをかける機会をもてることこそ、幸せな証拠ではないか。自分はそこそこに幸せなのだから、他人の幸せも祈らなくては罰が当たるというもの、と小心な私は思う。

来客と一緒に潮風や涼風を楽しむために、私たちはフランス人のように一か月間のバカンスを取る。もっとも休暇を取るのは人間だけで、畑や海はせっせと仕事に励み、いろいろな野菜や魚介類を生み出してくれるのだからありがたいことだ。

夏の活発さはどうだろう！　きらめく夏の残光はまだまだ消えないが、畑で最後の力を振り絞り、パンパンに張り切って収穫を待っている実たちを見ると、急に心が引き締まってくる。季節の終わりの野菜だからといってほったらかしにせず、彼らに心を入れ込もう。トマト、ピーマン、なす、きゅうり、夏の野菜たちよ、ありがとう。そして来年までさようなら。

田川さんのたんぼでは、稲刈りの準備が始まっている。草山さんから個展の案内状が届く。そしてわが夫は、地域の祭りの準備に参加し、御輿《みこし》をかつぐ日を心待ちにしている。畑の野菜たちは、ころころとよく太っている。さつまいもの収穫はとくに楽しい。小学生に手伝ってもらうと手慣れたもので、どんどん進む。学校で体験ずみなのだ。都会から来る者たちなど、大人でも何の役にも立ちはしない。野菜の名も種類も正確に知らないのだから。

なあんて大きなこと言えないか、私だって田舎へ来て初めて、いろいろな野菜の生態を知ったのだから。都会から来て田園生活をしていると、未知で無知だったいろいろなことを知って誇らしくなり、つい傲慢になってしまうのはいけないことだ。人は環境次第でどうにでもなるのだから、良い環境を手に入れたことをことさら誇るのは、公平ではない。それよりその人の実質が問われるだろう。

あちらこちらで収穫祭がある。農家では毎日が収穫祭のごとしだが、誘い合わせてのパーティーはやはり楽しい。

たいていは一品持ち寄りである。招いた家の負担は軽いし、よその家庭の料理がどんな物か分かるのもよい。特別なことの料理に私はよく落花生で豆腐を作るが、地元の人は茹《ゆ》でて甘みをつけて食べる。もちろん落花生は自家栽培の生。

私など、巻き寿司のような手のこんだものを作る気がせず、何でもちらし寿司で間に合わせるのだが、近所の農家の主婦、春子さんをはじめここの人たちは、何と海苔巻き寿司で花を描いたり、〝寿〟という字を書いたりする。緑色にはほうれんそう、黄色には卵、赤にはデンブを使って、それらを花や字の形になるよう組み合わせて全部一緒に巻き込む。それを輪切りにすると不思議にも、花の形や寿という字になっているのだ。目を丸くしている私に、

「やだあ、こんなの易しいって」

と春子さんは照れ笑いをする。不器用な私にはとうてい作れそうにないから、これはもっぱらごちそうになるだけ。

ひじきごはん

戻したひじきを小さく切る。にんじんとしいたけも細かく刻み、全部一緒にだし汁で煮る。塩、醬油、酒、みりんなどで調味する。枝豆を茹でる。炊き上がりのごはんに混ぜ合わせる。

たんぼをやっている人が多いだけに、持ち寄り料理はご飯物が多く集まる。さといもご飯、豆ご飯、そして私が海に近いこの土地にきてからよく作るようになった**ひじきご飯**。新米のおいしさは、作り手と、それを味わうことの出来る運の良い人のみぞ知るだ。まったく、家の中にお米が豊富にあると、この臆病な私でさえ、矢でも鉄砲でも持って来いという気になるから不思議だ。願わくは、米を作りたい人が米作りをする土地と機会が失われないように、と祈る思いである。

だが、こんな祈りが空しく思われる時もある。春子さんの夫の亮作さんの家の裏にあったたんぼは埋め立てられ、廃棄物置き場になってしまった。春には薄紫のレンゲソウで覆われていたのだが。田川さんの畑の一部も駐車場になった。お年寄り二人の仕事では、畑はやっていけなくなったのだという。一面に茂っていたせりは、忽然と姿を消してしまった。

最近は、野山に自生するものがまず、自然破壊の怒濤に呑み込まれてしまうのだ。野草など、昔から私たちの食用となってくれた食物が滅びることは、培ってきた食文化が滅びることでもある。山菜が豊富、すなわち自然が豊かなところはまた開発も盛んであるということだから、いつまでこの恵みを受けられるのだろうか。

けれども自然は、一部分の大地の減少を気にするでもなく、季節ごとにいろいろなものを作り出している。くずは紫色のこんもりとした花をつけ、その蔓をどこまでもどこまでも伸ばしていく。柿は毎年熟した実をつけ、惜し気もなくカラスや猿に与えている。

自然が失われていくことを思えば涙も出てくるのだけれど、これら野の植物のように私も大地にしっかりと根を張って生きなければなるまい。その元気をつけようと、掘り出したばかりの山芋をとろろ汁にして食べる。山芋は細いのだけれど、掘り出した後の穴は、狼が一匹潜んでいたかのような大きさである。

紅葉が木枯らしに散り去る。銀杏《いちょう》の落ち葉の下の、銀杏《ぎんなん》を拾う。すると、冬がうれしそうに農村と農民に近寄って来て、彼らや動植物の休息のための子守歌を歌うだろう。だが私たちは冬籠もりの間に、次の春から秋にかけての仕事や活動のプランを練って、再び巡って来る季節に備えよう。冷たく暗い冬籠りもまた夢と希望に満ち、楽しさは尽きることがない。

雪の日も暖かい鳥の巣。食べ物も入ってるよ

第2章

牧歌的だったロンドン暮らし

三十代と四十代のカップルである夫と私が、農村の人里離れた一隅に移り住んだのは一九八八年だったが、それは唐突にと言えば唐突だし、自然にと言えばそうも言える。若い頃から、林に囲まれた大きな家で、ベジタリアンたちと共同生活をしていた夫にとっては、自分の志向に沿ったライフスタイルなのだから、自然であると言えるだろう。しかし、東京に生まれ育ち、東京でキャリアを積んできた私には唐突なことだったかもしれない。にもかかわらずそうしたのはなぜなのだろう？　と考えると、それはやはり、私がベジタリアンという食生活と生き方を始めたことに、端を発すると思う。

誰にとっても、人生で一度や二度、何らかの転機は必ず起こるに違いない。私にとって最も強烈なそれは、肉や魚を食べることをやめる、というものだった。それまでは普通に肉や魚を食べていた私の転向は、一九七六年、私が三十代になったばかりの時に訪れた。やはり唐突に、そしてイギリスという外国でだったのである。肉を食べないという食生活は、まったく新しい魅力をもって私に迫ってきて、私をどんどん深みに引きずり込んでいった。

考えてみるとそれほどまでに私を魅了したのは、それが単に食事だけの領域に留まらなかったからなのだ。生活それ自体を含めた、生き方全体に関わってくる、まことに幅の広く奥の深い、一つの人生の範であった。もっとも、それは、肉や魚という全人類に〝普遍的〟で〝主流〟の食物を食べないことから、〝オルタナティブ（代替とかもう一つの）〟とわざわざ注釈つきで呼ばれる生き方なのだが。しかしそれにはそれでいい。

その生活は数家族一緒の共同生活だった。この人々の間には、いくつかの共通点がある。まず第一に、住んでいる長屋風のアパート、イギリス流に言えばフラットに、家賃を払っている者はいないこと。これは当時、一種の市民運動として、空き家を利用するキャンペーンが盛んだったことによる。私たちもその一派だった。

そしてまた、皆定職につかず（今の言葉ではフリーター）、好きなこと――絵を描き詩作をし、工芸品を作り、音楽をやり（実際に国際的人気バンドのボーカリストになった人もいる）、福祉、ボランティア、環境問題、ウーマンリブの活動、勉強や研究に励んでいた人々が多かった。それから、ほとんどの人が肉や魚を食べないベジタリアンだった。

「シズカ、あなたフライドチキンを食べてきたのね」

「ええ。でもどうして分かったの？」

「あなたのポケットから落ちたナプキンよ」

独りロンドンの街を歩きながら、手軽に昼食をと思い、つい、二階建てバスの二階の窓から見つけたそのチェーン店に入り、食べてしまった。そしてつい、店名入りのナプキンを持ち帰ってしまったのだ。いや、「しまった」という感覚はまだなかった。ロンドンの下町で、偶然出会った人々との共同生活を始めて、まだ一週間も経っていなかったから、その頃は、ベジタリアンというものが何か、とは明確に意識していなかったのだ。

「あのねえ、私たちベジタリアンでしょ。だから肉や魚は食べないのよ。動物を殺して食べるなんて、無慈悲なことでしょう？」

「そうだ、そうだ。もし君が肉を食べたいなら、自分で殺して食べるべきだよ」

アンナもチャールズも、口々にこう言ってチキンを食べてきた私を非難した。とくに東洋志向大のチャールズは、私が出会った時にはご飯や梅干しや海苔を食べていたくらいだから、日本人が肉を食べるなんて、と失望したに違いない。私のベジタリアンへの転向を、熱い口調で説いた。「肉を食べたいなら、自分で殺して食べるべきだ」と言われては、いい加減な私も、これ以上食べるものについて無頓着でいるわけにはいかなかった。

私がベジタリアンについてよく分からなかったのは、英語の「ベジタリアン」、日本語に訳すと菜食主義者という言葉の認識が足りなかったからだけではない。毎食毎食がとてもおいしいので、肉が入っていないことなど問題にならなかったのだ。ある日の夕食には、まずフツフツと沸き立っている**玉ねぎのスープ**が神妙に運ばれ、次にはオレン

玉ねぎのスープ

玉ねぎをせん切りにし、ニンニクを潰して好みのハーブと一緒に、透き通るまで油でじっくりと炒める。水またはだし汁で煮る。塩、こしょう、醤油で調味し、好みで削りチーズをふる。

にんじんのフルーツサラダ

にんじんをたくさん、せん切りにするか野菜削り器で削る。みかんをむいて袋の中身を出す。レーズン(干し柿)を水に戻して水気を絞る。くるみを細かく刻む。サラダ油とレモン汁を混ぜ、塩、こしょうで調味する。好みで粉末のパプリカを混ぜ、全体をよく混ぜ合わせる。

イングリッシュ・トライフル和風

カスタード・クリームを作る――薄力粉大さじ3をふるいにかけ、きめの細かい砂糖大さじ4、塩少々、卵黄3個分と混ぜ合わせる。それを小鍋に入れ、温めたミルク$1\frac{1}{2}$カップを加えて弱火にかけ、滑らかになるまで約5分かき混ぜ続ける。次に、カステラの薄切りにジャムを塗り、ガラスの容器の底に置き、梅酒を垂らす。すももなどの果物を薄切りにして載せる。くるみを砕いて散らす。カスタード・クリームをかける。これをもう1回繰り返す。表面のクリームの上に、切ったすももを飾る。

ジを混ぜた、赤々とした炎のようなにんじんのフルーツサラダが供され、そしてローフ型に焼いた玄米ご飯が主菜となり、コーンのマフィンとさやいんげんのピクルスが添えられている。

これだけでもうおなかはくちいのに、まだ終わらない。必ずデザートがつくのが、いやしくも欧米人の食事である。カット・グラスのデザート用ボールに、昼間みんなで摘んだブラックベリー、シェリー酒を染み込ませたバター・ケーキに手作りのカスタード・クリームなどを盛り合わせた〝イングリッシュ・トライフル〟、そしてジンジャー・クッキー。お茶はセージというハーブ。私のように軽いアルコールをたしなむベジタリアンがいれば、ビールやワインも並ぶだろう。肉が好きな人でも、こんな食事なら満足するだろうと思われるおいしさだった。

食事の材料は植物性ばかりではなく、チーズや乳製品や卵も少々使うから、味に対する動物性食品への渇望は起こらない。いやずっと後になって感じたのだが、植物性の材料だけの料理でも、往々にして動物性食品の味が出ることがあるのだ。だから私のように、戦後の貧しい日本の食生活の中で育ち、それほどたくさんの肉を食べていなかった者にとっては、肉なしの食事でも大して苦になることはない。私が外出先で肉に手を出したのは、ほんの出来心にすぎなかった。逆説的に言えば、あまりに野菜料理がおいしかったので、肉料理と野菜料理の違いには気づかなかったのだ。

食事の支度は住人が毎日交替でする。私はイギリス式ベジタリアン料理をまだあまり知らない、ということでひと月ほどは見習兼助手として雑用をしていた。その間、ベジタリアン料理の本を見て勉強したり、当時でさえ数多くあったロンドン中のベジタリアン・レストランを食べ歩いて研究をした。進取の気象に富んだイギリスだったから、ベジタリアン料理のレストランも数々あったのだろう。文献の中に簡単に見つかるものでさえ、一八八〇年代の昔からあった。イギリスの有名なベジタリアン、バーナード・ショウや留学生のガンジーもあしげく通っていたという。

有機野菜や無添加食品の買い出しをした店では、普通のスーパーのようにパック詰めの食品はなく、大きな樽に入っている穀物や粉や豆を、自分で測って紙の袋に入れるという昔懐かしい売り方をしていた。

店は土の感触と自然の香りに満ちていた。私は、そこに行くだけで心が休まったり躍ったりするので、毎日のように訪れていた。するといつしか、このような店を自分でもやってみたいという夢が育ち始めていた。

「ねえシズカ、本場の日本料理を食べてみたいわ。日本料理はベジタリアン料理でしょ」

やがて皆がそう言い出してから、それまではあまり気にも留めなかった日本料理を幾つか思い出し、冷や汗をかきながら作った。当時、東洋志向の人々は玄米ご飯を好んで食べていたし、豆腐も納豆も手に入り、白菜、もやし、大根、ひじき、昆布、わかめ、海苔など日本食品も不自由しないていどに売られていたので、材料の調達には苦労しなかった。

私は、冷やっこ、酢のもの、ごま和《あ》え、味噌汁など、簡単で普通で、しかも料理にはそれほど関心のなかった私でも作れるような、料理とは言えないような料理をしたのだった。そして次第に、典型的な日本料理ではあき足らず、彼らの真似をして、ひと味違うベジタリアン料理を作りたくなった。やがて私も、食事作りのレギュラーメンバーへと昇進していった。

私がイギリスにやって来たのは観光が目的だったから、日本から持ってきたわずかな所持金を使い果たし、日本の銀行に置いてきた預金を送金してもらいながらの滞在だった。だが家賃の要らない空き家に住んだ私は、金銭的な心配をそれほどしないで、たっぷりとある時間を有効に使うことが出来た。なかなか日本に帰ろうという気が起こらなかったのは、ここでの刺激的な生活と、ベジタリアン料理のせいだった。

いわば遊学生の私は、好奇心の赴くままにあちこちと、ロンドンの町やイギリスの田舎を歩き回っていた。ロンドンにはパンク風の若者がかっ歩していたが、そんな特殊な人々ばかりではなく、若者は誰も皆、自由で創造性のある生き方をしていた。ビートルズが生まれたのもむべなるかなと思われた。そしてその頃は、後で知ったのだがレゲエと呼ぶ音楽のジャンルになるジャマイカ生まれの音楽が、イギリスの若者を魅了していた。そのような音楽やダンス、芝居や絵画のイベントは、町中至る所で催されていた。

何といっても興味深かったのは、私たち自身の毎日の暮らしである。空き家に住むに当たってまず為すべきことは、家の修繕だった。ペンキを塗ったり壁紙を貼ったりカーテンを取りつけたり。壁紙やカーテンは、私の敬愛するウィリアム・モリスという百年以上前の工芸家がデザインした模様のものを使った。すいかずらや葡萄やひなげしなどの花柄が、茎や葉と共にうねっているいわゆるアールヌーボーという形式である。

ぼろ家にもこれで、草花の盛られた春の雰囲気が漂い、自然の香りに満ち溢れる。ちょうど近くの公園には、クロッカスやヒヤシンスやスノードロップの花が勢いよく咲き出していた。

次には家財道具を揃えるのだが、これはとても簡単である。今でこそ日本でもリサイクル文化というものが出来たが、当時のイギリスはまさにそれ。いや、イギリスは本来がリサイクル文化なのである。どこの町にも古い日用品を売る店があり、ボランティアがバザーをやり、世界の飢餓飢饉を救うためのリサイクル・ショップが置かれていた。その代表的なものは「オックスファム」だ。そのような店で、百円、二百円で買えるような食器や厨房器具を揃え、家具などは粗大ごみ置き場で見つける。

私も、ビクトリア時代のどっしりとした樫の木の食器棚を手に入れた。そこに入れるティーカップや皿は、アンティークの店で求めたウェッジウッド製。薔薇の花のティーカップにはローズヒップ(野薔薇の実)・ティーが、水仙の花のケーキ皿には**レモン・シフォンケーキ**がよく似合う。

イギリスはまた、アンティークの宝庫でもあり、私は、毎週定期的に開かれる幾つものアンティーク・マーケットのはしごをして、品質に対する目を養った。そして、良いものを大切に長く使う、それもまた愛情であると知ったのである、家でさえも……。

イギリスで知り合った友人・知人の家は、ハイドパークに面した高級マンションや、サーの称号を持つ人の田舎の別荘や、労働者階級の住宅や詩人や大学教授などの知識人の住むフラットなど様々だったが、どの家にも共通していたのは、外観が周囲の町並みに調和していて、内部もまた、百年かそれ以上前に建てたときのままのように古い造りだったことだ。そして誰もがそんな古さを愛しむように、手入れをしながらも年代物の良さを保っていた。私が訪れたある詩人の住む何の変哲もないフラットには、モリスのオリジナルの壁紙が残されていた。

お金のない私たちはどのようにして暮らしを楽しんだか。それもまた容易なことだった。大勢一緒に食事をし、誰もがもっているというわけではない白黒テレビを集まって観賞し、ギターをかき鳴らして歌を歌い、レコードに合わせてダンスに興じる。小さな通りを歩行者天国にし、中庭を開放して野外パーティーを何度もやった。

個人的には、無料かとても安い入場料の美術館巡りをし、はたまたロンドン市内にある、一年中芝生が緑の公園で行われる様々な催しを楽しんだ。ロックバンド「クイーン」の無料公演、回転木馬が揺らぐサーカス、花火大会、そしてピクニック。

自分たちの食堂を運営したこともあった。やはり空き家の一軒にテーブルと椅子を並べ、もともとあった台所で料理をする。材料費に経費を一〇パーセント加えたものが値段だ。材料は卸値で買う無添加・無農薬食品。料理はしたい人がしたい時に、自分の得意料理をする。この界隈の住人と同じように、多種の国籍を持つ料理である。〝正統派〟のイギリス式ベジタリアン料理を作るのは、アンナとチャールズのカップル。豆のスープに始まって、キャベツのヨーグルト・サラダ、**ブロッコリーのキッシュ**、カリフラワーのフリッター、ブルーベリー・マフィン、そしてデザートは**アップル・パイ**のカスタード・クリーム添え。**かぼちゃのアイスクリーム**もある。私はそれに、シェリー酒ではなく、ギネスの〝クリーム〟のビールを飲んだ。

イタリア人のコンスタンスの夕食は、おなじみの豆腐ラザーニャが主菜。それに、レタスの丸ごとサラダとうずら豆入りミネストローネ・スープ、ガーリック・ブレッドがつく。ワインもなかなかのものだった。そして私には少し甘過ぎるチョコレートケーキ。

ブロッコリーのキッシュ(直径18cm大の型)

型に油を塗って小麦粉をふる。玉ねぎ、しいたけ、ニンニクをみじん切りにして油でざっと炒める。ブロッコリーを茹でて水切りし、飾り用の小房を残して全部で2カップ分みじん切りにする。ボールに、野菜、卵2個、ミルク1カップ、削りチーズ、小麦粉½カップ、塩、こしょう、醤油をよく混ぜ合わせる。型に流し入れる。表面に飾り用のブロッコリーを埋める。180°Cのオーブンで約30分、中が固まるまで焼く。

アップル・パイ

小麦粉2$\frac{1}{2}$カップ、マーガリン$\frac{2}{3}$カップ、塩少々を指でもみながら混ぜ合わせ、水を少しずつ加えてしっとりとなるまで練る。2等分し、1枚を麺棒で薄くのばし、パイ型に敷き詰め、フォークで全体に穴をあける。りんご大2個をいちょう切りにし、黒砂糖少々、レーズン、ナッツ、小麦粉少々と混ぜ合わせ、型に詰める。もう1枚のパイ生地をのばして蓋にし、りんごの上から被せ、てっぺんに小さな切れ目を入れて180°Cのオーブンで約50分焼く。

かぼちゃのアイスクリーム

かぼちゃを蒸してマッシュする。マッシュしながら砂糖またははちみつを加え、好みの甘さにする。かぼちゃと同量の生クリームをしっかりと泡立て、かぼちゃとよく混ぜ合わせて、冷凍庫で固める。時々冷凍庫から出し、空気を入れるためにかき混ぜる。

レモン・シフォンケーキ

薄力粉1カップ、ベーキングパウダー小さじ$1\frac{1}{2}$、塩少々を一緒にふるい、卵黄3個分、レモン汁$\frac{1}{3}$カップ、砂糖$\frac{1}{2}$カップを混ぜ合わせる。卵白3個分をしっかりと泡立てて混ぜ合わせる。油を塗った型(直径20cm)に流し入れ、180°Cのオーブンで約30分焼く。泡立てた生クリームやジャムを添える。

あれは今思うと、後に日本で大流行したティラミスだったのだ。

私の担当料理は、玄米のおむすびとひじき炒めと湯豆腐ときゅうりの酢のものといった、日本人であればあまり興奮はしない普通の惣菜である。しかし、テーブルに置いた小さな岐阜提灯（「オックスファム」で売っていたのだ）と、箸置きにした鶴の折紙の異国情緒が喜ばれたようだった。「こんなことでは駄目」と、私が奮起したのは言うまでもない。

毎食を手作りする私たちは、料理以前の食料を得る方法も工夫した。裏庭を耕して野菜を作ったり、貸し農園で共同栽培したり、季節の果実や野草を探して摘んだ。ブルーベリー、ブラックベリー、ローガンベリーはジャムやパイやデザートにする。さんざしの花やカミツレやミントの葉は、お茶にする。マッシュルーム採りは馬糞の落ちている牧草地で、栗やヘイゼル・ナッツは森の中で拾う。

イギリスに来るまでは、インスタントラーメン的出来合いのトンカツ的食生活をしていた私にとってそれは、アルプスのハイジか『若草物語』の四人姉妹の一人であるかのような、牧歌的な生活だった。

毎日の食事の足しにするための野菜作りは、人々とのコミュニケーションを深めるという楽しみにもなるから、気楽に喜びをもってやれる。ところがこれが何がしかの金銭を得るのが目的であれば、それは楽しいどころかとても辛い。私の辛い体験は、イギリスの庭園といわれるケント州でのアルバイトだった。

夏から秋の終わりにかけて、季節労働者さながら、大きな農家の手伝いをした。夏のホップ摘みに始まり、りんご、梨、そして晩秋のじゃがいも掘り。大勢の若者と共司生活をしながら、得たお金をどう使うかと夢を語り合いながら。そして、経済的な理由から、誰もがベジタリアン料理を一緒に作り、食べた。たかが収穫の手伝いだったけれど農民の大変さを知った思いだった。本格的農業なんて私には出来ない、とこの時思い知ったのである。

住んでいたのはロンドンという大都会だったが、その住み方が自然と共生した田園生活そのものだった体験は、その後の私のために、大いに役立つことになった。

たくさんのフォックス・フェイス。観賞用

第3章

仕事を生きる

「ここがいい。春の雰囲気が一杯だなあ。ここに決めた」

カメラマンの一声で、助手もスタイリストも編集者も作業を開始する。田園風景が目の前に広がっている、クローバーの茂るわが家の前庭。そこに、友人の木工家が作った楓《かえで》の木の丸いテーブルが家の中から運び出された。スタイリストがその上に、東京から運んできたナプキンや水差しやナイフやフォークを並べる。カメラマンは写真機を構え、助手は太陽の光を集める銀板《レフ》を立て、露出計で明るさを計る。すると庭に漂っていたうららかさが一瞬に消え、一気に緊張感が張り詰める。心なしかクローバーの花も、そのしだれ姿をぴんと立てた。

台所では私が、泳げないのに飛込台の上に立ち、まさにプールに落ちて行こうとする体勢である。えい、どうとでもなれ！　とローフ型をひっくり返すと、マッシュしたじゃがいもがきれいな長方形になって出てきた。

ほっと安心したのも束の間、何やら焦げつきそうな匂いが鼻をつく。あわててガス台に行くと、卵黄の入ったホワイトソースが、ぶつぶつと泡を吹いて文句を言っている。ひやーっとしたが、助手がすかさず火を止めた。

と今度はアスパラガスが、早く出してえ、と鍋の中でわめいている。私が、握っているお玉を下に置こうとしているうちに、またもや助手の手が伸びた。お陰でアスパラガスはゆだり過ぎもせず、いい色加減で湯上がりの姿になった。

クリーム色の楕円形の皿にマッシュポテトを置き、表面にグリンピースを敷き詰める。その周囲を、紅色のラディッシュでぐるりと囲む。「**グリンピースとじゃがいものローフ**」。

真っ白いボーンチャイナのディナー皿にアスパラガスを載せて薄い黄色のクリームをかける。ちょうど咲いているうつぎの白い小花を全体に散らして彩りにし、「**アスパラガスのクリーム添え**」。

黄色とグリーンの花模様が描かれたイタリア製サラダボールには、茹でたキャベツ、菜の花（この場合、私の畑の白菜の花）、角切りにした豆腐をドレッシングで和えた「**茹でキャベツと豆腐のサラダ**」を入れる。生のままの菜の花とせりを飾ると、色彩にめりはりがつく。

本日の料理のテーマは「春の食卓」だから、料理と器を春爛漫にしなければならない。そこで黄色と若草色で統一し、春のイメージを出そうとしたのだ。その春の料理をテーブルに運ぶ。先ほどの台所の目茶苦茶加減が、嘘のような出来栄えになったと思う。しかし、私の心臓はどきどきと大きな音を立てる。今までのプレッシャーは序の口、これからが本番なのだ。

アスパラガスのクリーム添え

アスパラガスを、根元のはかまを取り除いて蒸すか茹で、温かく保っておく。玉ねぎのみじん切りを油で炒め、小麦粉を加えて炒め、水またはだし汁を加えてかき混ぜ、流れるくらいの濃さのホワイトソースにする。火からいったん下ろし、卵黄を溶いてかき混ぜながら少しずつ加える（ホワイトソース１カップ分に対して卵黄１個の割合）。弱火にかけ、ソースをとろりとするまで煮つめる。塩、こしょう、醬油、ワインで調味する。アスパラガスを一口大に切って器に盛り、ソースをかける。ごはんの上に盛ってもおいしくいただける。

茹でキャベツと豆腐のサラダ

キャベツと菜の花（または青菜）を茹でて一口大に切る。豆腐をよく水切りし、あられに切る。酢、ごま油、サラダ油を混ぜ合わせ、みそと醬油、すりおろしたニンニクを加えて全体をよく混ぜ合わせる。野菜と和える。

グリンピースとじゃがいものローフ

グリンピースを$1\frac{1}{2}$カップくらい、塩入りの熱湯で茹で、水切りをする。じゃがいもを茹でて熱いうちにへらで潰す。玉ねぎとニンニクをみじん切りにし、にんじんはすりおろす。表面に飾る分のグリンピースを残し、他の材料全部を一緒にボールに入れて、酢、サラダ油、塩、こしょう、からし（マスタード）、好みでヨーグルトを加えて調味する。油を塗った型に入れ、しっかりと押さえ、表面を平らにする。10分以上おいたら、型の内側に沿ってナイフを入れ、逆さにして皿にあける。表面全体にグリンピースを、やや埋めるようにして飾る。切り分けて皿に取る（この料理のポイントは、形をすてきに作ること）。

「まあ、きれい！」

編集者の言葉に、束の間の安堵感がよぎる。だがまだだ。カメラマンの目には、どう映るだろう。色は？　形は？　大きさは？　写真に撮りやすいだろうか。写真には美しく写るだろうか。

我ながらほれぼれするほど美しく仕上がる料理もあれば、やり直しのきかない失敗作で、カメラマンを恐怖に陥れるような料理もある。料理も生き物と同じで、なかなか意のままにはなってくれない。きのうよく出来た料理のレシピで作っても、きょうはうまく出来ない場合もある。

何だかんだと言い訳してみても、結局最後の審判は、料理が写真になり、写真が本や雑誌になるまで待たなければならない。

「お疲れさまでした！」

と明るく言い合った後、いよいよ料理の賞味。緊張感も解けた皆は嬉しそうなのだが私だけがプレッシャーをさらに感じて、もう一つの審判を待つ。味覚というものは主観的で、食べて即、おいしいかおいしくないかの結果が分かる誠に直観的な審判官である。

と、まあこのようにとても重い緊張感を強いられはするが、この仕事はとても楽しい。太陽と風と青空のうっとりするような美しい自然の仕事場での、美と創造性を生み出す作業。視覚を重視する仕事だから、毎日の料理よりもお洒落な感覚が要求されるが、それに挑戦するのはやりがいがある。私自身の美的感性を試される、一種の表現活動だ。

この種の仕事が私の望んでいたものだった。それは料理に限らないけれど、私の場合、たまたま料理になったのだ。それも〝教える先生〟というよりはむしろ、〝研究して発表する〟いわばアーティストとして。しかしこの料理という表現活動は、単に視覚だけでなく味覚のよさも保証されなければならないから難しい。でもこれが、長い間の試行錯誤と模索の結果、私の得ることの出来た仕事の一つなのだった。

思えば私の二十代は、自分がどう生きるか、何を為すべきかと思案に暮れ、試行錯誤することで終わったような気がする。就職をするのに、今で言うフリーター程度のつもりでしかなかったから、選びもせずに行き当たりばったりの職場に入った。まず大学の図書館。七年間働いた。次は写真事務所。そして絵画を扱う事務所。

どこでもタイプライターに向かい、書類を整理し、お茶を汲んだ。男性中心の仕事社会の中で、女性の役割を一生懸命に果たしていた。本や写真や絵画という対象は大好きなものだったけれど、仕事としては退屈な作業の繰り返しである。それは必ずしも、この私でなければ出来ない仕事ではなかった。

自分の時間と労働を切り売りしている……、当時の私は、自分の仕事に対してそんな思いしかもてなかった。その頃の仕事は、仕事が終われば屑籠の中に収められるようなものだったからだ。自分だけにしか出来ない何か、自分の個性を生かせることをやってみたい。二十代にずっと、事務的な仕事をして生活費を稼ぎ出していたＯＬ体験は、私に、そんな希求をもたせ続けてきたのだった。だが、私に出来ることは何もなかった。これではいけない、と私はあわてて、常々関心をもっていた染色と陶芸を習い始めた。

世間では普通、女性が三十代になろうとすれば、これからの仕事を考えるよりも結婚を考えるだろう。しかし当時の私は、結婚とか家庭とかに薔薇色の夢を託さなかったし、相手もいなかった。父親に早く死なれ、自立することが先決だった私には、誰かに養ってもらうという考えはもてなかった。

必要なのは、収入のための仕事である。しかし、十年間働いた後では、収入のためだけでなく、喜びと創造性のある仕事を求めるようになっていた。そんな時にイギリスに行き、そこで仕事よりもまず、自分の力で生きる方法を知ったのだ。

「今、女性たちが集まって、食べ物の店を出す相談をしています。あなたも加わりませんか？」

日本の友人からこんな手紙がロンドンの私の元に届いたのは、そろそろ日本に戻ろうと思っていた矢先だった。日本に帰ってやることは、それまでに書いたものを本にすることで、それ以外に当てはなかったし、イギリスで学んだベジタリアン料理を試してみたいとも思っていたからこの誘いにはすぐに乗った。いよいよ私の望んでいたことをやれるのだ。

一つの恐れは、イギリスであまりにも自由な、牧歌的な生活をしてきた私が、経済の急激な発展を遂げて消費生活を謳歌している日本の、東京の生活にうまく適応するだろうかということだった。

恐る恐るミーティングに出てみると、そこに集まった十数人の女性たちは、皆おおらかで元気一杯で、それぞれに個性的で、ロンドンの共同生活者たちのそれとあまり違わないのが驚きでもあり嬉しかった。またもや私は、ロンドンでのように、煉瓦を積み釘を打ち、自分たちの場所作りに加わった。店の資金は、「債券」を発行して無利子で二年間借り、寄付を募り、メンバーが出せるだけの資金を集めた。借りたアパートの階下を改築したのは、皆の友人たちで、厨房器具やテーブルや椅子もリサイクル品だった。そして半年後、店は「たべものや」という名前をつけられて開店した。

レストランで出す料理の素材は、野菜も魚も肉も調味料も、百パーセントというわけではないが、無添加、無農薬のものを使った。そのことがまず、一九七七年当時では新しい試みだった。そしてもう一つの斬新な試みは、店は女性だけで共同経営され、しかも、料理人やウエイトレス、皿洗いの役割が固定されていないこと。後に、皿洗いにアルバイトが雇われたが、それは往々にして男性だった。一番若いメンバーは十九歳。学生も主婦も、私も含めて喫茶店でアルバイトぐらいはしたことがあるが、全員が料理を目的とする接客業は初めてである。

給料は、自己申請と話し合いで分配された。労働時間や時間割は、子供のあるなし、個人の都合で決められた。子供のいる人は、夜の部と休日は働かなくてよい。夏休みは店を一か月間休む。すべてをオープンにし、個人の自由と他人の都合を尊重するのが建て前である。こんな内容だから、これからの女性の生き方の一つの例として、方々から関心が寄せられた。

このような新しい運営方法のレストランでは、そのメニューにも特徴があった。自分たちで考えた我流の料理だけれど、日本型「お袋の味」を基本にして、なかなかおもしろい工夫に富んだ料理だ。玄米ご飯と味噌汁に、ひじき煮、切干し大根の酢のもの、れんこんのキンピラ、オランダこんにゃくなどが少しずつ一皿にまとまって盛られ、小鉢にその日の一品料理がついた定食が売り物である。

一品料理は、鰯《いわし》をつぶしたハンバーグ、鶏肉団子、いかのマリネ、鶏肉入りか野菜か大豆のカレーに、チャパティという小麦粉を練って薄く焼いたインド風パンとのセット。この店は、ベジタリアン・レストランではないので肉料理や魚料理も出したが、自然食が好きな客が多かったので、ベジタリアン料理もよく出た。

そんな時はやはり、食指が動き、私は日本人に合う洋風ベジタリアン料理をあれこれと工夫した。そして生まれたのが、**大豆コロッケ**、大豆シチュー、納豆ステーキ、大豆カレーであり、豆腐を素材にしてパイやローフなども作った。イギリスやアメリカでのベジタリアン料理の見聞が、大いに役立ったのである。

大豆とその加工食品をいろいろに工夫したのは、それらが日本の伝統的食材だからだ。もっとも、大豆の生産量は消費量の一〇パーセントにも満たず、もっぱら輸入に頼っている。それでも西洋的思想を叩き込まれたベジタリアンとしては、家畜の飼料に使うより、直接人間の食料にしたいと願うものだ。世界の半分以上の、飢えた人々を救いたいという理想を込めて。

右記の大豆料理は、少なからぬ人気を博した。ほっくりと茹でた大豆はそのまま食べてもとてもおいしい。だからこそ、どんな料理にしてもおいしいのだ。なかでも大豆コロッケは、今はない私たちの店と共に消え失せる運命を逃れ、別の、同じようなレストランのメニューに取り入れられて、今に伝えられているという。オリジナルの料理法なんていつのまにかアレンジされ、淘汰《とうた》されてしまうものだが、今でもそのまま健在とは嬉しい。それなら、「大豆コロッケ・ア・ラ・シズカ」とでもして、密かに作者である私の名を冠しておけばよかったなあ。

店は、食事をする場としての機能だけでなく、ネットワークが作れる場でもあった。詩人や作家、社会活動家や宗教者まで、今ではその分野の専門家として活躍している人々もお客だった。店としてのイベントや個人的な活動も行った。学習会やコンサート、

大豆コロッケ

大豆を軟らかく茹で、ざっと潰す。にんじん、しいたけ、玉ねぎ、ニンニク、水で戻したひじきをみじん切りにし、ごま油で炒める。全部一緒にボールに入れ、塩、こしょう、醤油で調味する。しっとりしていないようなら大豆の茹で汁やしいたけの戻し汁、小麦粉少々を加える。よく混ぜ合わせ、俵形に丸める。水溶き小麦粉とパン粉をつけて、きつね色に揚げる。からし醤油が合う。

調理道具は吊しておくと
便利。いつも乾燥

きれいに並んで分かり
やすいスパイスの棚

野菜と花のための
専用流し場

絵画展、雑貨店、ビデオ上映会。

よくやったのはリサイクル・バザー。ここの品物は質良くセンスが良いと評判になり一日でレストランの一週間分くらいの売上げにもなった。日頃から、「要らないものを要る人へ」用の「フリーボックス」を店先に置き、そこに入れられる服は真っ先に店のメンバーがいただいた。その古着を格好よく着回して、お洒落を楽しんだ（雑誌『クロワッサン』に登場したこともある）。

イギリスから帰国後、そこでの体験を記録した『ロンドンの美しい町』という初めての本を出版して以来、私は、店で働く一方、文章を書き、翻訳をし、本や雑誌のために料理をするという私個人の仕事も併せてするようになった。一人の仕事と共同の仕事。静の仕事と動の仕事。この対照は、しばらくの間バランスよく保たれていた。ついに求めていた仕事を見つけることが出来たのだ。私は、渾身《こんしん》の力を込めてこれらと取り組んでいた。ところが……。

七年目の冬、私の右半身全体に痛みが走り、どうにも動けない状態になってしまった。心では店を辞めたいと思うようになっていたのだが、なかなかそれを言い出せず、心と直結している体に嘘をついて働いていたからである。体は正直、つまり心は正直なのに、正直でなかったのはこの私だ。

店を辞めたい一番の理由は、時間に縛られたくなかったこと。自分の持ち時間には、必ずそこにいなければならないのがこの種の仕事の鉄則だ。が、私は度々遅刻した。時には、料理の撮影が時間通りに終わらない場合がある。原稿を書いていてせっかくノッてきたのに、ペンを置いて出かけなければならない。店と自分の仕事を同時にやってきて、そろそろ一つに絞りたくなった。

四十代に入り、夜遅くまでの立ちっぱなしの仕事は、体にもきつくなってきた。またもともと一人でこつこつと何かをやるのが好きな私が、グループで働くことに精神的な疲れを覚え、そして仕事もマンネリ化したと感じたのである。そんな気持ちを素直に外に出せずに悩んでいた。その抑圧が体を痛めつけたのだろう。

月例のミーティングの時、思い切って辞めたいと申し出た。それはすぐに受け入れられた。するとどうだろう、体から痛みが消えたのである。金縛りの体から、きつい縄がゆるゆるとほぐれていくようだった。

二年ほどの期間を除き、アルバイトも含めると、私は二十年以上ずっと、いわゆる外で〝お勤め〟をし、定収入を得てきたことになる。それはある決まりに従うことだった。嬉々としてであろうと嫌々ながらであろうと、一定の枠内に収まっていることだった。仕事の内容はいつも定型的。暮らしのパターンは不文律的。そして上司や仲間との間にある緊張感は、快いものばかりではなくストレスにもなった。仕事というものはそういうものであろう、とは、私はあきらめなかったのである。

私は、半分ほどまで来た人生の後半は、好きに生きたかったし、まだ残っているかもしれない可能性を広げたかったのだ。生き方暮らし方を、勤めていた頃のようにでなくイギリスにいた時のように牧歌的にしよう、たとえ東京に住んでいても、都市型ではなく農村型にしよう。

こうして意を決して〝フリー〟になった私は、いよいよ自分の思うように暮らしと人生を設計し、構築していくことになった。果たしてその建築物は、自分のデザインのままに建てることが出来、そして遺物になり得るか、砂上の楼閣でしかないものか？　分からないから人生はおもしろいのである。

第4章

暮らしを変えたい

「縛られている」と感じるようになった仕事を辞め、体から痛みが取れるとすぐに、私は妊娠した。私と夫は狂喜した。子どもが欲しかった夫は私の妊娠が本当に嬉しくて、私が流産防止のために寝ている間、食事作りから家事まで一切をかいがいしくやった。そんなことが出来たのは、私が勤めを辞めたのと同時に、夫もそれまでの勤めを辞めたからだ。

夫は私と出会った直後に、日本庭園を勉強したいと造園業者に弟子入りをし、日本人数人の会社でいわゆる下積みを務めた。アメリカ人にとっては、そして植物に霊的なものを感じている夫には、日本文化そのものである植木屋さんの仕事はとても新鮮で興味深かったようだ。同僚たちも親切な、優しい人々ばかりだった。夫は、地下足袋、半てん、てぬぐい、風呂敷が大好きな在日外国人となった。朝五時に起きて出かけ、夜は残業で八時、九時まで、一生懸命だった。

レストランの夜の部を受けもち、午前零時にならないと家に辿り着かない私とはすれ違いになる。夫は、朝出かける前に短い伝言を書き残し、仕事の休み時間に電話をかけてくる。こまめな性格の彼の努力で、何とかもってきたようなものだ。

しかし、彼のそのハードな仕事にも限界が来た。そこで暮らしを変えることにしたのである。周囲から望まれていた英語の個人教授を自宅でする一方、中学校の英語教師になり、週二回教えた。私は本や雑誌のための料理や原稿書きに専念するようになった。二人とも外で働かずに〝内〟で働くことにしたのだ。精神的、肉体的にとても楽になり、地域での新しい交際も始まった。朝に夕に、ほんの小さな自然との交歓もあらためてすばらしく感じ、自分たちで作る日々の暮らしの楽しさに、私たちは歓喜したのだった。

「はい、ご飯ですよう」

身動きの出来ない私のところに、お盆に載せた夕食が届く。もう一度台所に消えた夫は、今度は自分の分のお盆を運んでくる。二つのお盆に、同じ数だけの茶碗や小鉢や皿が載っている。ご飯と、じゃがいもと玉ねぎの薄切りにねぎの緑が浮いている味噌汁。豆腐の上に、貝割れ大根ときゅうりのせん切りと新しょうがのすり下ろしが載り、胡麻油を利かせた醬油のたれが振ってある中華風冷やっこ。トマト、なす、ピーマン、キャベツ、ニンニクの炒めもの。蒸しかぼちゃ。どれも、いつも私が作っている献立そのままだ。やってくれるじゃないっ。

しかし欲を言えば、もう少し塩味を利かせてもらいたいものだ。いくら夫が心酔しているガンジーが、「料理に塩を使うのはぜいたくだ」と言ったのであっても、作りながら塩味をつけるほうがおいしいのだもの。

露にぬれる秋の穂。やがて枯れ野に

夫や母や看護婦さんの献身的な看護の甲斐なく、私は流産してしまい、母になるというあの天にも上るような至福から、悔しさの極致へと転落してしまった。しかし、覆水は盆に返らず、とあきらめるしかない。高齢妊娠で次の出産の希望はもうなかったが、悲しみにくれる間もなく、私はまた仕事を始めた。いや、仕事がその悲しみを忘れさせてくれたのである。また、中国やアメリカへと旅をして、気を紛らわせた。

あんなに子どもを欲しがっていた夫だが、私への気遣いからか、あまり落胆した様子は見せず、いつも通りに明るく飄々《ひょうひょう》としているのに、どんなに救われたことだろう。

こんなアクシデントに見舞われはしたが、私たちはおおむね仲良く幸せだった。自由業の仕事も順調であり、私は何冊かの本を出版し、仕事や取材で雑誌やテレビなどのマスコミにも登場するようになった。夫もまた、いじめによって荒れた心の、愛情に飢えた中学生を救いたいという高邁な理想をもって、英語教師を続けていた。

仕事は発展しても、私的な暮らし方は変わらない。私たちは空き地を借りて小さな菜園にし、そこで少しの野菜を作り、日々の糧とした。畑は私鉄で二つ目の学園都市にあったから、電車や自転車で通った。もちろん化学物質は使わず、生ごみをためて堆肥にする。それにしても出来た作物は立派だった。たかだか四、五坪の土地から、一季節にトマトが三百個、キャベツが五十個、ほうれんそうが山のごとくに出来るのだ。何人かの同好の士と野菜を交換しても余りある。

私の料理はそんな事情から生まれるのだ。「同じ野菜を毎日飽きずにおいしく楽しく食べるにはどう料理したらよいか」。こんな命題があってこそ、新しい料理が創造される。「必要は発明の母」の範疇だ。せせこましい都会でも、土さえあればこうして食物が生まれる。何とありがたいことだろう。

知り合った時すでに、夫もベジタリアンだった。私よりも厳しくて、卵や牛乳などの動物性食品は一切食べない。

雨が激しく降る、ある年の十二月も末のことだった。私は友人の本屋へひまつぶしに行った。

「やあ、いいところへ来た。ちょっと店番してて。食事しに行って来るから」

以前アルバイトをしていたことがあるから勝手知ったる何とやら。五坪にも満たないこの店は、ユニークな本屋として知れ渡っていた。ニュー・エイジと呼ばれるテーマの本が多く、書棚の分類も、「心」「命」「癒す」「耕す」「食」「からだ」「女」「子ども」「環境」「詩と音楽」「作る」「舞う」「精神世界」「少数民族」などとなっている。またこれらに準じる英語の本も集められていて、かつて私はここで英書の担当をしていたのだ。東京の「プラサード書店」で、店主は「きこり」というニックネームの伝説的なほど個性の強い男性である。

水田に落ちた満月。田毎（たごと）の月

雨のせいか狭い店内は結構混んでいた。外国人も何人かいる。シンセサイザーの音楽が、静かに平和に流れている。

「英語が話せますか？」

突然一人の西洋人男性が、切羽詰まったようにレジにいる私に話しかけてきた。

「ええ、何でしょうか？」

ほっと安堵した彼は、必要な情報を求めて矢継ぎ早の質問をした。ついでに自分の読んだ本がここにある、と喜んで指し示した。初めてやって来た東京で、自分の母国語を分かる日本人に会えて、彼は打ち解けていろいろ話すのだった。そう、堰《せき》を切ったように。

よくよく彼を見れば、そんなに若くもなく（実際は前日に二十六歳になったばかり）よれよれのジャンパーと雨合羽とリュックサックの出立ち、そして顎髭に縁取られた疲れた顔と風邪のような咳は、なんだか哀れを催すのだった。

「ありがとう。それでは」

と店を出ようとする彼に、次のように質問したのは何の意図もなく、イギリスで旅人の私が世話になった時の流儀そのままだった。

「これからどこへ行くのですか？」

「食事をしに。階下の店で」

その店は、契約農場から安全で良質の肉が届き、肉料理が売り物だった。私がこう聞き返したのもまた、本能的なものだった。

「ひょっとしてあなた、ベジタリアンじゃないですか？」

「ええ、そうですが」

「それじゃあ、いいお店に案内してあげるわ。おいしいベジタリアン料理が食べられますよ」

戻って来た店主に彼を紹介し、私はそこから歩いて五分の私たちのレストランへ案内した。そこで彼は、故郷と、ガールフレンドの料理を思い出させるという食事を心から楽しんだ。

私は、外国で親切にされた恩返しと思い、異国にいる外国人を助けたつもりだった。それは今でも変わらずに実行している。それを知ってか知らずしてか、彼は次の日もまた次の日も店に来るのだった。そして迷い犬よろしく、尾を振って私についてくるではないか。その時一人暮らしの私は、番犬代わりに彼を時々家に来させた。友人の家を転々として、一周すると私のところに来る、という風に。

ある時などは、ミュージシャンの喜多郎の家に泊まってきた、と喜んで〝帰って〟来た。そのうちに、居心地がいいのか私の家に居着いてしまった。私のほうも、誠実で実直で穏やかな彼の人柄に、安心して置いてやることにしたのだった。

私たちの出会いは、ベジタリアニズムが縁である。ベジタリアニズムの思想と料理が私に、〝本当の〟仕事と愛する人をもたらしてくれたのだ。そんな私がベジタリアニズムを提唱しなくては、罰が当たるというものだ。だから私は、ベジタリアニズムの思想と料理の本をせっせと書いた。

そのベジタリアン料理は例えば、大豆のスープ、春菊のサラダ・中華風、**豆腐のきのこソース煮**、玄米ご飯、そして**みかんのカスタード**がデザートのフル・コースである。もちろん、エビスビールや無添加の井筒ワインも、イタリアのムラーノから買ってきたグラスに注がれ、きらきらとした星屑のように見える。

夫は、私が今まで出会った男性とは少し違っている。ずっと年下のせいもあるかもしれないが、まず、可愛いのだ。無邪気で、純真で、無欲で、人間ではないような、犬のような存在である。私は馬鹿になったように、心を許せる。それまでの男性たちとは、お互いの間に、薄いながらもある種の壁が立ち塞がっていて、双方とも正直になれない部分、不透明な部分があった。信頼関係が成り立たないうちに一緒になり、そして別れていたのである。

しかし夫には、何も知らなくても信頼出来てしまう、不思議な人徳があった。愛の告白も話し合いもなかったのに、迷い犬（羊のほうがぴったりだが）がそのまま居着くように、気がつくといつの間にか一緒になっていたというのが真相である。それは、私に

豆腐のきのこソース煮

ニンニクを潰し、玉ねぎを薄切りにする。にんじん少々はせん切りにするが、一部だけ飾り用に輪切りにする。油でしんなりとするまで炒める。きのこ類を加え、水分が出るまでじっくりと炒める。小麦粉を加えて炒め、水またはだし汁を入れてとろりとしたソース状にし、塩、こしょう、醬油、ワインで調味する。最後に春菊を小さく切って加える。豆腐をしっかり水切りし、やっこに切ってソースに入れ、味がしみるまで弱火にかける。器に盛り、輪切りのにんじんと春菊の緑を飾る。

みかんのカスタード

卵2、3個を砂糖$\frac{1}{3}$カップと混ぜ合わせる。生クリーム１カップを加えてよくかき混ぜる。みかん（甘夏など）の絞り汁１カップと皮をすりおろしたもの大さじ１を加えて混ぜ合わせ、バターを塗った耐熱容器に入れ、180℃のオーブンで約30分焼く。温かくても冷たくてもおいしい。
5、6個の１人分用型で焼いてもいい。

とっては幸運だった。なぜなら恋愛や結婚問題にうんざりしていた私が、そのことをしんどく考える暇もなく、恋愛をし結婚をしていたのだから。

市役所へ出した結婚届けの妻の氏名欄には、親からもらった私の名字を変えず、そのままにした。つまり別姓である。私は夫の姓は名乗りたくなかった。私の場合特に、夫の名前は外国語だから、その姓から、私は外国人と結婚していると一目瞭然。それはそれでいいのだけれど、私という実体が、その名によって少し変容してしまうかな、と危惧したのだ。結婚しても、私は私でいたいと思った（もちろんこれは私の個人的な事情と思惑だ。夫の姓に変えても、自己実現している女性は大勢いる。いやほとんどだ）。

私にとって夫のもう一つの美点は、その実用性にある。まず良かったのは、お弁当を自分で作ること。それで分かるように、家事が好きなこと。冷蔵庫の中身、早く使うべき食品、足りないもの、それらを私より詳しく把握している。洗濯好き、掃除好き。お客が来るからとトイレの掃除。泊まり客だといっては布団干し。食事の後片づけは積極的。日本人の男性は何もやらない、と批判する（それは妻が悪いのだ、と私は思う）。

私にとってこれ以上何が必要だろう？　ところがこんなことは序の口。大工仕事やペンキ塗りは本職顔まけ。野菜作りはじっくりとていねいにやる。庭の手入れはお手のもの。この実用性もまた、私が彼との結婚を決意した大きなチェックポイントだったかもしれない（とは後で付け足し）。

そしてもう一つの重要な要素は、彼の〝フェミニンな〟優しさである。かつて、〝男臭さ〟をぷんぷんと発する男性たちに泣かされた私にとって、彼の女性性は大きな魅力だった。この私こそ、男性性のほうがより強いのだから、バランスが取れるというもの。一方、彼にとっての私は、最初の出会いからして頼りになる母親役かもしれない。異国にいる異邦人、という必然的な条件もあるだろう。いずれにせよ私たちは相互扶助の原則に立って、暮らしと人生を紡いでいくことになった。

この同志的共同生活は、夫が再びカメラを手にした時からより強化されていった。彼は大学で一年間写真の勉強をしたのだが、エコロジーに目覚めて以来、薬品を使う写真を辞めてしまっていた。彼の生家を訪れた時、飾ってあった初期の作品に、私は感動したものだ。しかし、日本での異文化体験が、再び彼を、写真を通して文化を記録する行為へと駆り立てたのである。

そのきっかけは、二人で行った一か月間の中国旅行だった。中国大陸を一周しながらモノクロで中国の大自然を撮り、それは後に、ある本の頁を飾った。それ以来彼は、世界中の自然や人物に加えて、私の作品——料理やインテリアやフラワー・アレンジメントも撮るようになった。それは今、共同作業となっている仕事のさきがけだったのである。

私たちの暮らしは安定していった。しかし社会は様々に変動していった。エイズという疾病が現れ、チェルノブイリの原発事故が起き、世界のあちこちで共産主義が倒れ、世界各地で人種や宗教、政治や経済が原因の紛争が勃発し、政治や飢餓や自然災害による難民が急増している。私たちはその一つひとつに鋭い痛みを感じていた。それなのに日本は、吹けば飛ぶようなシャボン玉の夢を手のひらに載せ、大はしゃぎをしていたのである。

その影響は、私たちの町の変わり様にもあった。のどかなつつましい住宅地が突然に消え、マンションやアパートがきらびやかに林立し出した。あの『ノルウェイの森』の作家がずっと以前に住んでいた、川っ縁にへばりつくようにして建っていた旧いアパートも、高価なマンションに変わった。良い香りのする花木の垣根は、無表情なブロック塀に変わり、庭木という庭木は薙《な》ぎ倒されてしまった。ホームから富士山の見えた小さな駅は巨大な駅ビルに姿を変えた。人間が倍増し、町を歩けば必ず知り合いと出会えたこの町には、もはや知らない人しかいなくなった。

変化そのものは良いし必要である。しかしどのように変わるかが問題なのだ。この変わり様は、私たちの嫌悪と失望を日増しに深めていった。

「この借家の契約更新はもうじきねえ。このまま、まだここに住む？　この町に？　東京に？」

「そうだねえ、野菜畑も、団地が出来るから手放さなきゃならないし、東京じゃあ、もう畑も見つからないだろうなあ。どうせなら東京を出てみようか」

東京でも牧歌的に暮らすことの出来たこの町を、私たちは愛していたし、今でも愛している。ここで、私たちの暮らしの中から何冊かの本を作ることも出来た。しかし、もうこれまでだ、息詰まり、行き詰まり、生き詰まったと感じるようになっていた。私たちは次第に、次の生活の場は、生まれ育った東京ではなく、どこか地方の田園の中だろうとイメージし、その願いを強めていった。

洗った二十日大根。鮮やかな色と長い根毛

第5章

分け合いの家作り

わが庭の端に立ち、爪先だけを動かしてぐるりと一回りしてみる。空の青と山の緑が目の中に飛び込んで来て、やはりぐるりと一回転する。三百六十度分の緑。一方に竹の林のある山、一方はたんぼとその向こうの山並み、それに続く向こうの山には茅葺《かやぶ》き屋根の廃屋が見える。山と山をつなぐのは、川を抱いた森。その大自然の真ん中で、私たちは動物のように棲息しているのだ。

わが棲息場所から奥は、林道が続くのみで家はなく、人も車もほとんど来ない。隣り近所とは、叫べども聞こえず、見れど見えずの距離にある。人間よりも、鳥や虫、猿や狸の存在のほうが多く、人様との交際下手の私たちには願ってもないことだ。

この棲息場所は、野生動物のそれのように限りがないわけではない。屋根瓦がぐんとそびえた堂々たる母屋は、この地方に典型的な農家の造りだ。脇に建つのは牛小屋兼用だったにしては立派な納屋。裏には崩れかけてはいるが、美しい面影は想像出来る土蔵。さほど広くない前庭と、四季折々に野花が咲き乱れる何百坪かの野原が裏にある。この〝テリトリー〟が、一九八八年以来の私たちの住みかである。

東京に住んでいた頃、知人の木野さん夫妻が、

「今度、房総半島の田舎に引っ越すから遊びに来て」

と嬉しそうに言った。房総半島？　聞いたことがあるような、いつか遊びに行ったことのあるような、茫漠としたイメージだ。そんなところへなぜこのすてきなカップルが越して行ってしまうのか、私には本意が分からず不思議だった。

ところが次の夏、木野さんたちが外国で夏を過ごすので、私たちが留守番滞在することになった。暗い土間があり、茶の間や納戸など畳ばかりの昔懐かしい農家で過ごす夏は、とても楽しかった。彼らが丹精込めて開墾した畑には、トマトやきゅうり、とうもろこしやなすが鈴生《すずな》りである。

私たちは、彼らに紹介されて知り合ったやはり都会からの移住者たちと、食事に招き合ったり、海水浴やピクニックをしたり、いっぱしの別荘族のようなぜいたくな気分を味わった。もちろん、最大の感動は、美しい自然だった。一か月後には、東京には帰りたくなくてとても困ったものである。この時、田舎暮らしへの憧れが、心に巣食ってしまったのだろう。すでに何回かここに来ている夫は、冗談というよりはむしろ真剣な面持ちで言った。

「やっぱり田舎がいいなあ。どうせ今の東京の家を出るなら、こんなところに住みたいなあ」

「そうねえ、とても良いところだわ。この辺に一軒借りれば別荘になるわねえ。家を探しましょうか」

日本間を洋風にしつらえて暮らしやすく

そして早速、家探しをしたのだが、彼らのこの家を知ってしまったら、もう他のところはどこを見ても決めかねた。夫は後ろ髪を引かれるような思いで、東京に戻った。私は、彼を慰める気持ちで半分冗談に、半分本気で言った。

「いっそのこと、長野あたりに引っ越しましょうか」

七〇年代の終わり頃から、少なくはない数の友人や知人たちが長野方面にどんどん移り住んで行っていたから、何となく未知の土地へ行くのにも安心感がもて、簡単そうに思えた。いわゆるヒッピー世代の人々は、消費によって成り立つ都市的生活を放棄して、生産によって立つ農村的な暮らしをしに地方へ移り始めた。

耕すことで食糧を自給し、大地を愛し、地球環境を慈しみ、無欲で慎ましやかな、エコロジカルな人生を選択したのである。個人的な場合や共同で営む暮らしや、事業的なものもある。私の知人では、詩人の山尾三省が、逸早く屋久島へ移住し、多数の人々がその後に続いた。

「長野ねえ。僕は寒いところは嫌だなあ。暖かいところのほうが、太陽のエネルギーを利用できるから効率的だ。野菜も生育しやすいし」

なるほど、一年の半分が雪や寒さでは、辛抱強くない私たちにはやっていけそうにない。夫は末端神経冷え性で、夏でも靴下を履いて寝るほどだ。あれこれ考えるとやはり南が良い。

どうやら東京脱出は今のところ、夢を見ることで終わりそうな気配である。

「僕たちこの家を出ることにしたよ。希望者のリストの一番始めだから、約束通り、君たちに譲ろう」

房総半島の木野氏からの電話。この電話が私たちの人生を変えたのである。二年前、初めて彼らの家に行って以来、そこが気に入った夫が冗談に、「もし君たちがこの家を引っ越すようなことがあったら、僕にまず教えてくれ」と頼んでおいた。それが現実になったのだ。彼らの去る月から引き続き、私たちが借りることになった。

何ということだろう。この際、果報は寝て待て、という諺を口にするにはあまりに不謹慎に感じるほど、運命というか祝福というか、何か特別な天恵のようなものを得た気がした。

聞けば、木野さんたちがこの家に住めるようになるまでには、彼らだけでなく、多数の人々の努力と協力があったという。なかなか貸家が見つからず、空き家になっていたこの家の持ち主のところに、知人と一緒に日参したそうだ。そしてやっと借りられたあかつきには、ほこりと黴《かび》だらけの家の、掃除と手入れと修理に明け暮れなければならなかったのだ。二年間かかり、やっと人並みに住める状態になったとたんの明け渡しである。彼らのこれまでの努力が、無にならないようにしなければならない。と同時に、木

右　晩秋の部屋の飾りは、野から来た草花
左　真冬は日当たりがうれしい。太陽の恵み

野さんたちと、私たちの知らないところでお世話になった人々に、感謝して住まなければならない、と思った。

家が決まった、となったら夫の行動力は凄まじかった。さっさと契約をし、現金収入のための仕事を探して見つけ、気になっていた土間を改造する許可を得、そして一人で大工仕事を始めたのである。だが私は実は、心の底では地方で暮らすことにはためらいがあった。仕事、家族、友人関係が疎遠になることが怖かったのだ。その上、まもなく出版する本を二冊抱え、雑誌のための料理撮影があり、まだ完全に引っ越すことは考えていなかったから、東京に踏み留まっていた。

私は当分は週末にだけ行くつもりだった。しかし夫は、週末だけなんてもったいない、僕は住みたい、と断固として行きっきりになった。様々な心配事はあったものの、夫の熱意に負けて私がとうとう荷物をからげたのは、二か月後、三月末日だった。

〝引っ越し貧乏〟という言葉があるけれど、私たちは常にその逆を行く。新しい場所に移る度に、幸福の度合いが増す。精神的に豊かになる。引っ越しは確かに面倒なのだが、そうならないような手筈を私たちは整える。大きな荷物——冷蔵庫や洗濯機や、食器棚などの家具の一部など、使い回しのきくものは使い回すのだ。つまり、これまで使ってきた私たちのを、私たちの後に住む人のために残し、今度の家に置いていってくれたものをこれから使う。荷物の移動の手間が省け、余計な物を購入する無駄を省けるではないか。

そのためには日頃、ネットワークを編んでおかなければならない。中古自動車、風呂桶と釜、洗面ユニット、全自動洗濯機、大型冷蔵庫、扇風機、揺り椅子から炊飯器に至るまで、私たちは木野さんのお古を低額または無料で譲り受けた。それらの使い方や、家のメインテナンスに必要な事柄が懇切丁寧に書かれたメモが残された。

イギリスでのシンプルな暮らし方から学んだ私は、なるべく無駄なものは持たないようにしていたから、仕事用を兼ねる大量の食器と本以外には大きな家具はなかった。が、それでも一トントラックを借りなければならなかったのは、集めておいた廃材やガラス戸など、これから必要であろう改築用の材料が山のようにあったからである。以前住んでいた家に取りつけた物も、引き剝《は》がして持ってきた。長年苦労を共にした、愛着のある物ばかりだ。

しかし、未来に改築できるような木造の家に住む可能性など考えてもみなかったのに、どうしてこんなに沢山の物を集めてあったのだろう？　夫は常々、近所で解体される日本の素晴らしい木造家屋を悼みつつ、ブルドーザーに飲み込まれる寸前にその命を救っていた。「これ、もらっていいですか？」「ああ、いいよ」解体屋さんはむしろ喜んで、「これはどうかね」と、夫に協力してくれた。東京で集めたそのような物がすべてこの田舎で蘇ることになった。

四季折々の産物が籠いっぱい、容器に溢れて

私と二か月間別居をしている間に夫がまず仕上げたのは、食堂である。重い、がたぴしする板戸を、金庫の入り口を開けるようにして（実際の経験はないが）やっと押し開けると、真っ暗な黴臭い土間だった。そこは農作物が大切に置かれる場所であるからそうなのだ。ここを、私たち人間に都合の良いように変えてしまうのである。元々椅子のほうが楽な私たちは、この純和風の室内を、私たちと同じように和洋折衷にしようというのである。

十畳ほどある土間に板張りをして床を作った。板戸を、東京から運んできたガラス戸に変えて外から光を入れ、電灯を何か所にも取りつけた。それらの笠は、解体現場からいただいた、すりガラスの美しいアンティーク。友人作のどっしりした楓の丸テーブルと、木の手作りの横長の大きなテーブル、この二つが楽々と置かれると、堂々としたダイニングルームになった。

食堂が出来れば、次の要求は台所であるのは必然と言おうか。台所が陽の当たらない場所にあり、そこは暗くて狭くて寒い、というのが日本の伝統である。これはもしかすると、女性蔑視の伝統と無関係ではないのかもしれない。台所は女の居場所とされてきたのだ。

だからこそ私は、広くて温かみがあり、精神的にも物理的にも明るい台所が欲しかった。母屋につながって、水屋（台所や浴室など）用の建物があった。「ここはもう駄目だね、ぶっ壊しちゃってもいいよ」という持ち主の言葉を受けて、ベニヤ板で仕切られている物置だの、浴室だの、洗面所だのの、そのベニヤの天井や壁を剝《は》がしてみた。

「うわあ！」

私たちは中から出てきたものを見て、唖然《あぜん》とした。凝然とした。呆然とした。黒々とした、直径五十センチもある太い一本ものの丸太の梁《はり》が、むき出しの天井の下に、縦横に走っているではないか。中心の二本は、六メートルもあり、横の何本かは四メートルもある。

「こんなすばらしいものを隠しておくなんて、もったいない。そうだわ、これを生かしてここを台所に改造しましょうよ」

「黒い梁に白い壁。イギリスのチューダー朝のような、それともヨーロッパの田舎風のキッチンになるな」

夫も私も興奮するばかり。早速設計に取りかかる。何しろ二十畳分、東京の家一軒分もの広さの台所である。何をどうしていいのやら……。しかしある程度の制限はあった。水道栓とガス管がすでにあるので、その位置は固定されていること。柱が何本もあり、空間に仕切りがあること。だから、かえって設計しやすかった。

改造の始まりは、まず根元の腐った柱の手入れである。柱を全部取り換えるなんて、

これはもう手に負えないと悩んでいると、東京から移住して平飼いの養鶏をやっている鳥原さんがひょいと顔を出した。

「それなら根元から五十センチくらいを切り離して、その分を新しいのと入れ換えたらいい」

これなら簡単。夫はこのアイデアをすぐに実行した。

次の難題は、太い梁や柱を磨くことだ。まるで墨を塗ったかのような黒さだが、その色は、炭や薪からの煤《すす》や、ほこりや黴や、昔の〝前文明〟的暮らしによる汗や涙や苦労など長い年月がつけた色だった。本当は残すべきなのだろうが、まあ、新しい人間がまた同じような苦労の色をつけるのだから、と一度削り取ることにした。しかし、どうやったら簡単にすむのだろう？　思案にくれていると、

「柿の渋でこするときれいになりますわなあ」

と農家の亮作さんが教えてくれた。しかし、天井の六メートルもあるようなのや、十本にも及ぶ柱を磨くのに、柿の渋でとは！　私たちはそのアイデアは端からあきらめた。結局、電動のサンダーやグラインダー、紙やすりなどでこすったので、自分たちの手と腕を使うのには違いがなかった。サンダーやグラインダーは、息も出来ないほどの塵を勢いよく撒き散らすので、私たちはゴーグルとマスク、帽子に手袋という、過激派のデモ隊のような出立ちをした。五日後に終わった時には、二人で接骨院へ行き、ひびでも

入ったかのように痛む首や腕や肩や腰などを治療してもらいながら、

水道とガスの取りつけ場所を決めて業者にやってもらいながら、取りかかったのは天井張りである。屋根の下は杉の木の皮を張っただけだから、見上げると、青い空がちらちらと縞模様のように見える。これでは雨漏りがする。杉板を張って天井にする作業は、気が遠くなるほど大変だったが、辛抱強い夫は、よくもち堪えたものだ。

次は、部屋の上部四面にある土壁に白い漆喰を塗る作業だ。指導は近所に住む画家の草山さん。仕事柄か得意だということで、私が教えてもらいながら一緒にやった。土壁がキャンバス、こてが絵筆というところか。絵の具の代わりに、練った漆喰を載せたパレットを片手に、話好きの草山さんとの作業はとても楽しい。

「かぼちゃの種でも塗り込んでおきますか。台所の壁からかぼちゃがぼこぼこなんて、楽しいではありませんか。それともすいかにしましょうか」

いやいや、彼が塗り込めたのは、愛情と友情である。

草山さんの借家もやはり、様々な改造の手が入ったものだ。新住民たちは、お互いに道具や力や知恵を貸し借りし、私たち都会人には決して住みやすいとは言えない古い農家を、住みやすくする試みをする。草山さんも、わが家を手本として土間を板の間にした。そして壁を白く塗り、彼と妻ゆりこさんの作品が並べられ、ちょっとしたギャラリーと化した。

野菜も花も秋色を集め、家中にちりばめる。
窓辺にも台所の隅にも、秋がいる

そこに飾られているのは、ゆりこさんの優しく美しい野の花の染め絵と、草山さんののどかな農村の風景や村人が生き生きと額の中にある黒々とした墨絵である。その調和が、いかにも仲の良い夫婦を彷彿とさせる。画家でありながら企業戦士でもあった草山さんは、この農村に住むことによって休息を得たのである。

小さな庭に煉瓦で炉をしつらえて、彼らはよくバーベキューをする。たいていが近くの港で拾ってきた、落ちこぼれの小さい魚である。その時、焼き芋よろしくかぼちゃをほうり込み、焼きかぼちゃにする。香ばしいのをそのまま食べたり、ゆりこさんが春巻にしたり。

天井と壁が終わると、後はいよいよ床作りだ。室内装飾をやっている友人が、東京から様子を見に来た。彼に、平らに床を張るための水平の取り方を教わった。細いビニール管に水を入れ、両端の管の先の水が、文字通り水平の高さになったところに鉛筆で標《しるし》をつけていく。夫が板を寸法に切って敷いていくと、私が釘を打っていく。ああ、もう少し若ければなあ。でも、念願の台所がもてることを思えば、重いとんかちも何のその、終わりは目の前にある。喜びと勢いに乗じて、私は床のラッカー塗りも、全部一人でやってしまった。

終わったのは始めてから三か月後、越してきてから九か月後で、冬になっていた。食器や鍋類はすべて、柱と柱の間にあつらえたオープンの棚に収めた。初めてこのキッチンに入る人でも、どこに何があるか分かるように。流し台は三つ、食器用、鍋用、野菜用である。使用中のものと、一つは新品、一つは中古。

ガス台には苦労した。オーブンつきで、レンジが四つある洋風のものが望ましい。メーカーのショールームを歩き回ったのだが、予算が合わない。そこで東京の調理器具の問屋街で有名な合羽橋を歩いた。そこで見つけたのが、中華料理の業務用レンジである。オーブンがつき、レンジは四つ、横長で、レンジとレンジの間が広いので、そこに鍋なども置ける。値段はそれまで見てきたものの半分だった。

これに決め、設置場所は台所の真ん中にした。料理をする者だけが壁に向かわないように。皆で共同作業が出来るように。私はこのキッチンを、誰でも一緒に食に関われるような場所にしたい、という願いを込めて設計したのである。

私の夢が叶った！　私のカントリー・キッチン、いや、母なる大地の生み出したものをここで料理するのだから、〝マザーアース・キッチン〟と呼ぼう。私は水を得た魚のように、すいすいと、野菜の流し台から鍋の流し台へ、調理台からガス台へ、ガス台から食器棚へと泳ぎ回り、そして泳ぎ着くのは陸続きになっている食堂だった。「ローラースケートをはけばいいね」と言われるほどの動線の長さであるが、私は昔習ったバレエの踊りのように軽やかに動き回る。効率と合理性を重んじるシステム・キッチンとは逆の、体の動き（つまり習性）と感情を優先するノン・システム・キッチンだ。

さつまいもの羊羹

さつまいもをふかし、皮を取り除いて裏ごしする。寒天を煮溶かし、布でこす。それに裏ごしのさつまいもと塩一つまみ、好みで砂糖(三温糖や黒砂糖、はちみつなど)を加え、よく混ぜ合わせる。容器を水で濡らし、混ぜ合わせたものを流し入れ、固まるまで放置する。分量は、ふつう棒状寒天1本に対して水$2\frac{1}{2}$カップで煮溶かし、中身(この場合はさつまいも)は500g程度を用いる。水が多めだと水羊羹になる。寒天(乾燥棒状や粉末状)のパッケージにある使用法を参照する。

白菜と油揚げのそのまま煮

白菜と油揚げを1cmくらいの幅に刻む。にんじんを薄切りにして同じ幅に切る。鍋に入れ、蓋をして弱火で煮る(水は加えない)。野菜が全部軟らかくなったら、熱いうちに器に盛る。ゆずと醤油、ぽん酢、大根おろしやからし醤油、好みのたれで。

新しいキッチンで、最初に料理したものは何だったか。もちろん、台所開きのためのパーティー料理である。これまでに助けてくれた人々を招いて、感謝の食事会である。専門の大工さんに依頼するでもなく、ただ、自分の関心と持てるだけの能力を投入する素人仕事。その時に最も役立つのが、本からの知識よりは、すでに実体験した人々の助言であり、実際の技能の提供である。それは三歳の子供の砂遊び風セメントこねから、大工の棟梁の建築物への屁理屈まで、どれもこれも貴重なものだった。

しかし、試行錯誤はしながらも、自分で生み出すことの楽しさと喜びは、これに勝るものはないと思う。どんなに金持ちであったとしても、この生み出す喜びを、金を出して他人に代行させるなんてこと、とてももったいなくて出来やしない。かくして私たちの自慢は、結果の良し悪しよりも、〝自分でやった〟という事実そのものなのだ。

いつもながらの私の〝けったいな〟料理の中には、次のようなものもあった。

ごぼうのパイ、豆のバーグ、**白菜と油揚げのそのまま煮**、子芋の団子、インゲン豆のトマト煮、おろしれんこん揚げ・納豆入り、そしてデザートに、**さつまいもの羊羹**と、体が暖まるように、番茶に大根としょうがをすり下ろして混ぜたもの。

濁り酒やら限定販売のワインやら、お酒が料理以上に幅をきかせるのが農村の宴会。しかしもう一つ宴会につきものの煙草の煙はわが家にはない。わが家での禁煙を守り、時々煙草を吸いにそそくさと外に出る人におかまいなく、音楽家の友人たちがそれぞれに特技を披露する。アメリカ人の尺八演奏。日本人のアメリカン・フォーク・ソングはギターで。日本人の弾く胡弓は、中国の楽器。

食堂と台所が仕上がったのに勢いを得て、今度は、まったく手つかずで放置されている二階建ての納屋を改造することになった。持ち主の許可が出たのだ。私たちを信頼し、部分的ではあるがこの家の改造を任せてくれる持ち主の寛大さには、心から感謝している。

この納屋は昔、持ち主の一家が裏山の杉を切り出し、板にして自分たちで建てた本当の手作りの小屋である。このように家もまた食物と同じように、住んでいる土地に生える木や、石などを使うのが本来の家作りであったのだ。それにしてもこの納屋は、牛が住んでいたにしては、とても立派な、しかも、案外モダンな外観である。農村の牛たちは、都会の人間よりも良い住まいに住んでいたのだ。

この改造は一気には出来ず、何か事あるごとに掃除をし、板を張り、壁を塗り、というふうに少しずつ進んでいった。難民のためのチャリティー絵画展や「アースディ」などのイベントの度に、プロの大工さんのボランティアから、幼児連れのお母さんたちまで、様々な人々が一緒に会場作りをやった。一部を残して図書室とギャラリー、二階にゲスト用一室が出来、外側にペンキが塗れたのは、手をつけてから二年後だった。この新しい建物で最初に行ったことは、「チェルノブイリの子どもたち」の保養ホームステイのための、写真と絵画展だった。

私は、エコロジーというものには家屋も含まれるべきだと思っている。その風土に相応しくない建物、環境を無視した奇怪な建造物（パチンコ店やカラオケルームやラブホテルはどうしてあんな風袋なのだろう）は、明らかに環境を破壊し景観を壊しもする。

純日本建築の古い建物は、この時代には御用済みとばかりに取り壊される。修繕すればまだまだ美しい姿でいられるのだが。石や煉瓦でなく木造だから、というのは理由にならない。何百年を経ても健在の木造建築物は現に残っているのだから。たった七十年ほどしか経っていないが、この美しい姿のわが家を見ていると、古いがゆえに使いにくい不便さと、風土ゆえの黴と湿気に耐えても、消滅から守っていかなければならないと思う。

お金には縁のない私たちだが、良い自然と良い人々に恵まれてこうして今、この田園に生きる縁を持った。自然と人間と、人間と動植物の知恵と技が結合し融合し、人々の想いによって熟成して一つのことを為す、そんな有機的な暮らしの営みをする場にしたい。家の改造には、実に多くの人々の時間と労力がかかっている。ということは、この場所はもう個人のものという観念を超えている。だからこの家と環境を、自分たちの独り占めにするのでなく、他人とも分け合おう、と夫と私は決心したのだった。

第6章

わが庭に集う

「何かお手伝いなあい？」男の子三人が勢いよく台所に飛び込んで来た。

「うわあ、うれしい！　じゃあ、みんなでじゃがいもをすりましょう」

おなかの空いた彼らは、張りきってそれぞれのじゃがいもと、おろし器とボールを抱え、調理台にへばりつく。やがて一番年下のサーシャが、

「オカーサン、僕腕が疲れちゃったよ」

と音を上げた。最後まで頑張ったのだが。そして私に提案したのが、じゃがいもをミキサーでひくこと。日本で初めてミキサーというものの存在を知った彼だが、私がそれでジュースを作ってやったのを見ていて、なんでも細かくひけると思ったらしい。出来るかな？　やってみようよ、とやってみたら、ほんとうによくすれた。

子どもの無邪気さというものは、時として大きな発明や発見につながるものである。じゃがいもをすりおろしてパンケーキの形に焼いた料理は、彼らの大好物。でも、十人分ともなると、普通のおろしがねですりおろす作業はなかなか大変なものだった。もうこれで、五十人分でも百人分でも大丈夫。

サーシャたちは、チェルノブイリ原発事故の放射能汚染で被曝した〝チェルノブイリの子どもたち〟である。ベラルーシ共和国から、私たちの家に一か月間のホームステイ

にやって来たのだ。私たちは一九九二年の春、日本で初めての里親になった。そしてその後五グループの子どもたちがわが家を訪れた。一グループは、十歳前後の子どもたち四〜八人ずつだった。

チェルノブイリに近いベラルーシでは、国土の四〇パーセントが事故による放射能で汚染され、食物の九五パーセントが放射能を含み、八十万人の子どもたちが、放射能被曝による免疫低下の影響を受けて苦しんでいる。そのような子どもたちが、汚染されていない地域（主に海外）に一か月間滞在して栄養豊富な食事をしていると、やがて免疫力が向上し、健康の回復が進み、それまでの症状も軽くなるという。そのための保養先を募集していることを知った時、私は即座に、これをするのは私たちの使命だと感じたのである。

子どもたちのために、と夫と私は、いつもよりたくさんのじゃがいもやトマトやきゅうりを作っておいた。彼らのふるさとの野菜ほどには大きくないけれど、それらとは違って放射能には汚染されていない。彼らはとても積極的に家事を手伝ってくれたが、中でも料理は、男の子も女の子も皆好きで上手だ。じゃがいもと肉とパンの国の子どもだから、**じゃがいも料理**は大得意。幾つか教えてくれた料理のうち、皆で度々作ったのがこのパンケーキ。

彼らはまたニンニクも好きだった。これも夫がせっせと栽培した。私たちのためだけ

ニンニク風味のじゃがいも

じゃがいもをサイコロ状に切り、軟らかく茹で、水切りをする。ニンニクをたっぷり薄切りにする。フライパンにたっぷりとごま油を熱し、同量の醤油を加えて混ぜ合わせながら熱する。じゃがいもと青ねぎの細切り、赤トウガラシの輪切りを入れ、よく混ぜ合わせる。

バラ科のワレモコウ。とんぼの大好きな花

だったら何か月分もあったような量のニンニクが、たった一か月で消えてしまった。やはりじゃがいも料理に使った。

腰まで届く長い金髪が自慢のナターシャは、わが家に来ると早々に十歳の誕生日を迎えた。誕生日の料理は何をしたらいいのだろう？　と悩み、ナターシャに何が食べたいか尋ねると、〝すかんぽのスープ〟という答えが返って来た。すかんぽなら裏の野原にはびこっている。早速皆で摘んできて通訳の言う通りに作ってみた。母親の作るのとは雲泥の差があっただろうに、おいしい、おいしいと食べてくれたのでオカーサンたる私は一安心。

しかし、日本の田舎に生えている草のようなものが、農村に住む彼女の故郷の〝お袋の味〟とは、どこの田舎もおんなじだ、と私は嬉しかった。このスープにもじゃがいもを使う。また、しいたけのスープもひんぱんに作ったが、やはりじゃがいもをベースにする。

困ったのは〝肉料理〟だった。私が最後に肉を料理したのはいつだったか、何だったか、皆目思い出せない。しかし覚悟はしていたから、周囲の人に手伝ってもらいながら何とかやった。もちろん、無添加の〝健康な肉〟が材料である。出来ることなら彼らにもベジタリアン料理で我慢してもらいたい、と私が思うのは当然かもしれないが、実は周りのそんな懸念をよそに、私はそうは思わなかった。それよりも、彼らの好きなものをおいしくたくさん食べてもらい、体力をつけて元気になり、放射能なんか吹っ飛ばすほどのエネルギーを蓄えて欲しかった。

ボルシチやステーキやハンバーグなどをはじめとして、日本風のご飯や、ひじき煮、焼きそば、季節の果物やアイスクリームやケーキなど、少なくとも放射能に汚染されていないもの、ビタミン類に富んだものを彼らはたくさん食べた。そして、私たちの願いが一杯詰まったじゃがいもに祝福されて、誰もが二、三キロずつ太った。汚染された故国では、頭痛、腹痛、貧血、鼻血などの症状に日常的に苦しんでいたが、彼らはそれを克服し、元気になって帰国した。

なるほど、生物を生み出しそれらのための食物を生み出す大地が、環境が、いかに基本的なものであるか、それを、子どもたちの輝くような笑顔と、「帰りたくない」と泣く涙とが、はっきりと語っていた。彼らの持ち帰るおみやげは、困難な状況でも生きることへの、そして将来への希望だろう。

それにしても、子どもたちの力になりたいという私たちの願いがかなったのは、大勢の人々の協力と参加があったからである。ホームステイは、まったくの個人でも出来ることだ。けれどもこの場合の子どもたちにとって、一般の人々の理解が必要だった。この小さな村で、原発事故という社会問題がどう受け取られるのか、私たちにはとても心

棚田に栽培された菜の花。大地の
キャンバスに、花で描いた模様

配だったのだ。

ところがどうだろう、なんと、何百人もの人々からの温かい心が寄せられたのだ。採れたてのキャベツを一個、自転車に乗って届けてくれたおばあちゃん。生みたての卵を一か月分寄付してくれた鳥原さん。搾りたての牛乳を、缶ごと運んでくれた酪農家。お米は、無農薬栽培をしている米谷さんや何人もから。果物好きの子どもたちと知っていちごやりんご、みかんやバナナ、すいかやメロンなどが、あちらこちらから箱入りで届く。

漁師の船岡さんからは、上がりたての魚が届いたのは言うまでもない。お手製の千代紙細工を届けてくれた老人会。広島の被曝者は折鶴を教え、同じ境遇にある身を励ましてくれた。自宅やレストランへの招待。小学校での授業や行事参加。職場や学校、サークルでのカンパ集め。草山さんの絵画指導。大勢のボランティアの家事の手伝い。

一つひとつ挙げられないほど多くの善意の中でも、日本の子どもたちの反応はすばらしかった。とても積極的に彼らと付き合ったのだ。自分たちで歓迎会を企画し、遊びを考える。毎日一緒に遊び、食べ、一緒に寝る。言葉は要らない。感情や〝匂い〟で理解し合えた。

お世話になったのは、チェルノブイリの子どもたちや私たちだけではない。子どもたちの滞在時期が、ちょうど田植えや稲刈りと重なってしまった。とても田植えまでは出来ない、どうしようと悩んでいると、突然、田川さんや亮作さん、米谷さんが耕耘機《こううんき》を運転してきて働くと、あっという間に耕されてきれいになった。

二回目の滞在の時には、いつ稲刈りをしようか、とうろうろしていると、再び彼らがやって来て、今度もまたたんぼは、今床屋さんから出て来たばかりのように刈り取られた。彼らの周りで夫も私も、そして子どもたちも、犬のようにまとわりついていただけ。後にも先にも何も言わずに、貴い労働をもって私たちを助けてくれる、お百姓さんたちの優しさと寛大さには頭が下がった。たんぼも救われたのである。

子どもたちが滞在中、六回目のチェルノブイリ原発事故日を迎えた四月二十六日、わが家を開放して行う「アースデイ」の集いを持った。この日一日、地球環境について思いを巡らそうという、世界的な運動であり、ほとんど毎年行ってきた年中行事である。私たちは一九九〇年の第一回目から、「地球にありがとう！」をスローガンにしてきた。もちろんこの日だけでなく、毎日が「アースデイ」でなければならないから、この日はそのきっかけを作る日なのだ。

裏の野原にはテントが二つも三つも並び、その下で、いろいろな人が様々なことをやっている。竹籠を作る村のお年寄り。糸つむぎをする若いお百姓さん。リサイクル品を売る子どもたち。お母さんの本の読み聞かせ、陶芸家の粘土細工遊び、版画家の版画指

たんぼの畔道で遊ぶ子ら。夕陽が笑って輝く

導、シンセサイザー、ペルー人の南米音楽、村の古老たちによる郷土のお囃子《はやし》、ギターやドラムの演奏、インド舞踊、草の上に運んだピアノの演奏。この日の核となる、環境問題の発表は市民運動家たち。リサイクルを教える紙芝居。廃油から石鹸を、牛乳パックからカードを作るデモンストレーション。オーストラリア人の一家は、空き缶や牛乳パックを利用したおもちゃの制作を披露した。

おやおや、お百姓さんが、牛と山羊と兎を連れて参加した。すると私や友人の愛犬たちは、そわそわとして落ち着かない。たんぽぽで首飾りを作った子どもたちが、犬の後を追いかけて、犬の首にかけようと躍起になっている。

野原の一番奥に土を盛り上げて作った低いステージで、三人の奏者によるシンセサイザーが、大きな音で、だが静かに冥想的な音楽を奏で出した。すると私のところに飛び込んできたのは、電気を使い大騒音を立てるのは間違いだという意見。私が困っているところへ飛んで来たのは、よそ行きの服に着替え、しかし顔についたたんぼの泥は落とし忘れた農家のお年寄り。

「谷を渡ってさあ、何やら不思議な音が聞こえてきたからねえ、田植えをほっぽり出して来たんだ。ふうん、これは珍しい音楽だねえ。そうか、NHKでやっていたのとおんなじかね。はあ、本物見るのは初めてだわ」

どちらを取るか。ここが考え所である。しかし、次のようなワークショップ（講座）

が、もしかするとその判断を示してくれるかもしれない。「太陽光発電機の見学と説明会」と「皆で風力発電機を立てよう」。わが家に設置した太陽光発電機を見、専門家の講師が、その仕組みや意義を説明する。そしてモンゴルから輸入した風力発電機を、この日、関心のある人々が集まって一緒に野原に立てようというものだ。この二つの発電機はもちろん、玩具ではなく実用である。

この房総半島に越してきて何よりも感じたのは、太陽と風と雨の豊かさだった。庭の前が谷になり、谷底のたんぼを越えて風が勢いよく吹きつけてくる。雲一つない広い空にでんと居座る太陽からは、焼けつくような陽射しが燦々《さんさん》と降り注ぐ。そして雨は、地を叩き木々を鳴らし、屋根瓦から滝のように流れ落ちる。太陽と風と雨、これらは自然のエネルギーそのものだ。

こんな条件があるので、常々、自然のエネルギーを使いたいと考えてきたのだが、何しろ先立つものがないから夢のままだった。しかし、東京に住む友人が自宅の屋根に太陽光発電機を取りつけてから、少し身近なものになった。その友人にすべてを任せ、ついにわが家でも電気が太陽と風から得られることになったのである。

昼間天にあった太陽が、夜私の家の中で照っているなんて、何という魔法だろう！　モンゴルから吹いて来る風が（空気が地球上を回っているのだからきっと……ね）、私の電気になるなんて、何というロマンだろう！　いやいや、そのような感傷的な理由から

右　一つ咲いただけでほっとする、ひまわり
左　ふるさとに似合うすかんぽ（スイバ）

だけではない。石炭や石油を燃やし、原発を動かして得る電気でない別の電気を使うことの意義こそが、本当の理由である。今、私たちと暮らしているその原発事故の犠牲者の、幼い子どもたちのためでもある。彼らの犠牲を無駄にしないために。

また、たくさんの数の電灯の他、コピー機、コンピューター、ワープロ、留守番電話、ファックス、ビデオなどという文明の利器に囲まれなければ田舎暮らしを出来ない私たちだから、その償いのためでもある。太陽光発電機から一キロワット分、風力発電機からは百ワット分の電気が得られるが、とてもこれだけでは足らず、太陽が機嫌の悪い時は夜九時や十時で停電してしまう。すると、電力会社からの電気に切り替える。

発電機購入のための費用は、私の生命保険を解約して捻出したもの。つまり、私の命と引き換えなのだ。太陽光発電機には電圧の変換器がついているが、それはアメリカの「ハート」社のものだから、まさに私の命を溜めておく心臓がこの変換器に変わったも同じ。やれやれ、エコロジカルに暮らすことは、何と命懸けなのだろうか。

かくして、太陽がかんかんに照りつける日は、私たちの家事や仕事は大忙し。電気製品はフル回転。洗濯機、掃除機、コピー機、ワープロ。その上料理もやらなければならない。心おきなくミキサーを使えるからだ。ミキサーの中に素材を入れて、細かく挽くものばかり。珈琲豆に始まって、芋やかぼちゃや豆や野菜をピューレ状にし、それでスープやケーキやジュースを作る。こうなると、いつもは魚焼き器をガス台に載せてトーストを作っているのだけれど、もうトースターを使ってもよさそうだ。

「アースデイ」たけなわの野原では、子どもたちが七輪に火を起こし、その上に鍋をかけ、野原のよもぎを摘んで団子を作り、売っている。小さなふきの葉に載せ、あんこを盛ったものが百円。代金はカンパ箱に集め、アジアの飢餓地帯の子どもたちに寄付される。大人にも子どもにもかなりの押し売りだったから、ずいぶんと寄付が集まった。

ベラルーシの子どもたちは、アメリカ人の女の子に教わってサンドイッチを作る。キャベツやにんじんを刻み、マヨネーズで和えたサラダを二枚のパンの間に挟むのだが、なかなかの慣れた手つき。パラソルの下、りんご箱を重ねただけの屋台の前には、かなりの行列が出来た。

もう一つ繁盛しているのは、春子さんをはじめとして近所の主婦たちが作る、太巻き寿司。やはりふきの葉に載せて一個五十円。手の込んだおいしいお寿司は大人気で、お陰で春子さんたちからはたくさんの寄付があった。

太陽が文字通り空の真ん中にある十二時、花火が景気よく打ち上げられた。朝八時にも、十時にもどーん、どーん、どーんと華やかに鳴った。いつも私たちに協力して、あれこれと親切に助けてくれる亮作さんからの贈り物だ。

この小さな農村のそのまた奥深く、ここは彼らの先祖代々の故郷であるが、こんな鄙《ひな》

スペイン風オムレツ

さつまいもをせん切りにし、歯応えが残るようにさっと茹でる。卵をボールに溶き、さつまいもとねぎの小口切りを混ぜる。塩とこしょうで調味する。油を熱したフライパンに一気に流し込み、蓋をして両面を中火で焼く。厚さは２〜３㎝くらい。焦げないように注意。中くらいのフライパン１個分で、卵５〜６個、さつまいも中１本。ふつうはじゃがいもを使う。

びた場所に三百人からの人々が訪れるのである。「空前の出来事ですなあ」、「わしらの誇りですなあ」と、そのお祝いの気持ちが込められているのだ。それはまた、喜びの印でもある。だから亮作さんにとって、辛い田畑の仕事のあいまに、道路工事の労働に出て得た、貴重な現金の大枚をはたいても惜しくはないのであり、彼の毎年の楽しみとなっているのだ。そして翌日から、「わしらも『アースデイ』をやった」というのが彼らの自慢でもある。

「来年もまたひとつ、どーんと派手にやりましょうや」

わが家での「アースデイ」は四回やったが、他のボランティア活動と共に、公の活動は徐々に若い後進に委ねるようにして、私たちの個人的な活動もするようにした。ほんの時たまだが、自宅でセミナーのようなものを行ったのだ。ベジタリアンの思想と料理を軸に、自然生活の〝体感〟や暮らし方の方法などを、料理を作り、食べ、勉強したのである。

「ベジタリアン料理が、こんなに簡単なものだとは思わなかった。自然にやればいいのですね」とか、「気持ちが良かった」とか、「こんなにたくさん食事をしたことはなかった」とかは一般的な感想だが、はっきりと言えることは、誰もが私の料理を知って、自分の料理に自信をもつことだ。これは私にとって喜ぶべきことか、恥ずべきことか？

私の料理――直感でやるので非科学的、手を主な道具にするので非機械的（つまり下手)、偶然に任せるので失敗が多い(!?)。

セミナー最後の日は、自分で工夫して作った料理を一品持ち寄るパーティーをした。するると毎回同じ料理が出たことがあった。中華風蒸しなす、**スペイン風オムレツ**、ラタトューユ、野菜カレー、玄米ピラフ……。

初めて会った人々と、つかの間でも共に過ごすということには、何らかのインパクトがあって当然だろう。東京にいた時から、私たちの家には大勢の人々が集まる機会が多かったが、その集まりから様々な新しい人間関係が生まれた。それも往々にして私たちのあずかり知らぬところでなのだ。

友人になるのは当然だが、恋人同士にもなる。これも必然か。そして結婚に至ることが度々あるのだ。結婚式の招待状には、別々にしか知らなかった二人の名が書き連ねてあるではないか。ええ！　あの二人が?!　と思うこともあれば、こちらもその組み合わせを密かに願っていた場合もある。

個人的な滞在者も何人かいた。魂の安らぐ場所を求めて訪ねてきた、ほとんどが未知の若い人々である。皆、私たちの娘か息子に当たる年齢だった。私たちは彼らの悩みをただ聞くだけだった（実際はそのことにはあまり触れなかったが、彼らの魂の叫びが聞えてきたのである）。

今年も咲いたアヤメ。去年よりずっとずっと大きくなった子どもたち

私にはカウンセラーのようなことはできなかったから、ただ、この深い自然の中で共に過ごし、共に食べ、共に作業をし……。彼らはそれだけで癒されたようなのだ。あのときの中学生が、高校生が、大学生が、社会人となり、結婚し、子どもを生んだ。そんな彼らに、本当のわが子の成長を見るように嬉しい。

私たちのところで知り合った人が帰国後、その人の住む外国の家を訪問するなんてことはしょっちゅうだ。日本人がイギリスへ。アメリカ人がマレーシアへ。ベラルーシ人がポーランドへ。ユーゴ人がアフリカのガーナへ。わが家の地図では、一本の道路が地球をうねうねと這《は》っている。

本を出すと、読者からの便りが思わぬギフトとなる。感想や賛美やお礼の言葉を読むと、少し照れるが正直に嬉しい。そこから私や夫とつながった人々は数多い。確かな交際に発展して、一九七九年の初めての本以来、ずっとお付き合いしている人々もいる。筆不精で交際下手の私たちに愛想を尽かすこともなく、本当によく付き合ってくださるものだ。

お互いに歳と人生を重ね、高校生の時、読者だったある女性は、ついに自ら作家となった。年長のアーティストの女性は、終《つい》の住処《すみか》を探し求めて北の果てに移り住み、そこでますます激しく創作活動をしているが、作品発表の知らせはとぎれることはない。毎年忘れることなく、私の誕生日に祝電を送って下さる、あるいは手製のクリスマスカードをプレゼントして下さる未知の読者の方々（もう未知とはいえない）も多い。あるいは夫が写真展をすれば、その会場で初めて会う長年の読者もいる。

わが庭の小さな水溜まりから、一筋の水紋が作るのに似た広がりを見、聞き、知るのは何という喜びだろう。

野良仕事を終えた喜び、からだにも心にも

第7章

野菜と共に

「うわあ、ミミズがいっぱいいるよ。きっと土がおいしいんだね」

「このでっかい幼虫、何になるか知ってる？」

「この鍬《くわ》は軽過ぎるよ。もっと大きい重いのなあい？」

「早く芽が出るといいなあ」

「この葉っぱ、病気になってる！　早くどけなきゃ」

子どもたちの、叫び声に近い独り言をにこにことして聞いているのは、畑の野菜たち、土の中の虫たちだろう。私たちの菜園に集い、一緒に畑作りをするのは近くの町や村の子どもたち。

さくらちゃんは農家の子だから、野菜作りにはとても詳しい。彼女のおばあちゃんのやり方が、そのまま彼女から伝授される。

「さくらちゃん、おうちでいつも手伝ってるからそんなに詳しいのね」

「ううん、あたし手伝わないよ。だけどいつも見てるから」

聞けば家にいる時にはテレビゲームに熱中しているという。

「それじゃあ、目が悪くなっちゃうわよ。うちに来て野菜作りやれば、目はきっと悪くならないよ。私みたいに、眼鏡かけなくてすむかもね」

と言ったら、それ以来せっせと来ている。

この辺りは田畑だらけだから野菜作りなど珍しくはないのだが、自宅では親や祖父母のやるのを横目で見ているだけで、実際には畑仕事を手伝う子はそう多くはないらしい。今は、たんぼを持っている農家の家族全員が米作りをするわけではないのと同じように、畑があるからといっても誰もがやるわけではない時代であることを、さくらちゃんは教えてくれる。自分のところでやると義務になるからか、よけいに、皆でわいわいとやる作業は楽しいらしい。

健作君は、ちゃんと家で手伝いをすると言う。堆肥置き場を作るのに、彼がリーダーシップを取った。丸太を据えつけるために、大工のお父さんの立派な道具を持参した。中学生なのに、私の夫と同じくらいの技能と知識を持っている。彼からは、マルバツ式の学校教育でない、日常生活の体験の確かな手応えが感じられる。彼は、掘りおこした土の中からかぶと虫の幼虫をたくさん見つけ、皆で分けて持ち帰り、大切に育てた。

マユミちゃんは町の子だから、野菜作りはあまりやっていない。せいぜい学校の実習くらいだ。けれども土を耕すのに一生懸命鍬を振るった。

「あら、上手ね。学校でもやってるからかな？」

「学校ではね、鍬を使うのは男子だけよ。だから今日初めて」

「ええっ！　男子しか鍬を使わないの」

私はびっくりしてしまった。畑仕事に、女子が鍬を使わないなんて。それは性差別とは違うのかなあ。そういえば、狩猟採集時代は男女平等だったのに、農耕が始まってから男性が優位に立ったという説があるが、現代にもその名残は生きているのだろうか。だが実際にやれば、マユミちゃんのように、直径三十センチもある石がごろごろ出てくるような荒れ地だって、こんなに立派に耕せるではないか。

りかちゃんも町の子だけれど、おばあちゃんが小さな庭でこまめに野菜を作っているから一応の心得はある。しかし彼女の関心は野菜そのものよりも、野菜の周りにいる虫や草花である。作業そっちのけで花を摘み、首飾りを作り、わが愛犬の首輪にして大喜び。トカゲを追い回し、蟻の行方を辿り、塚を掘ってみる。蜘蛛《くも》が虫をつかまえ、それを食べる様子にじっと見入る。そうだ、野菜作りは何も野菜だけが相手ではない。同じ命の虫でも花でも、何にでも興味をもってもらいたいものだ。

そんなこんなの大騒ぎをして作業が終わると、収穫や間引きした野菜を使い、皆で昼食を作る。シャベルやすきや鍬を、今度は包丁や野菜削り器や皮剝き器に持ち換えて、自分たちの食事を自分たちで料理するのだ。わが家は厳しいので、おなかが空いていれば、インスタントラーメンや電子レンジで温めたレトルト食品がさっと出てくる、なんていう当たり前のことは起きない。

しかしこの料理の部分が、子どもたちの本当の〝事件〟なのだ。りかちゃんなど、わ

が家に着くや否や、「ねえ、今日は何を作るの？」と聞くから、「今日はねえ、トマトの支柱作りとね、かぼちゃの苗作りとね……」と言ったら、「あっ、トマトのシチュー大好き。かぼちゃのなえって、どういう食べ物？」と聞くではないか。「違うのよ。まずね、畑で野菜を育ててからじゃないと食べられないの」と念を押す。

摘んできたレタスを洗い、手で小さく千切るのはりかちゃん。健作君が大粒の涙を流しながら玉ねぎをみじん切りにする。まったくこの玉ねぎは、いい根性をしている。小さい苗の時に、よく育つようにと足で踏みつけられたからだろうか。料理するのにひとたび包丁を入れれば、その刺激性の臭気で応酬し、目を痛めつける。それならと火にかけると、玉ねぎは暑い暑いと汗をかく。それで、玉ねぎを炒めてしんなりさせることを、英語では「汗をかく（スエット）」と言うのよ、と言ったら、健作君はへえーっと感心する。

そのみじん切りにされた玉ねぎを油で炒めるのは、さくらちゃん。やはり、目が痛いと言う。やがて、レタスのスープとなるはずである。

残りものの玄米ご飯でピザを作る。「これご飯？　こんな色のご飯見たことない」とマユミちゃんが言えば、「お米のもみ殻を取るとこの色で、それを精米機にかけると白くなるんだよ」と説明するのはもちろん農家のさくらちゃん。不審げな顔をしながら、マユミちゃんはゆっくりと慎重に包丁をなすに当てて刻んでいるが、この茶色いご飯がどうやってピザになるのか、興味津々な顔つきでもある。

やっとのことで食事の支度が出来た。おなかはペコペコのはずなのに不平不満が出ないのは、共同作業のせいだろうか、学校教育のお陰だろうか。いや、きっと未知への挑戦が彼らに空腹を忘れさせたのだと私は思う。自ら作り出すことのおもしろさと興奮から胸は一杯なのに違いない。

レタスのスープと玄米ご飯のピザ風。どうだろうか、子どもたちは食べてくれるだろうか、おいしいと感じてくれるだろうか。密かに怖れをなしている私の心中など露知らず、子どもたちの食欲は旺盛である。この珍しい料理を前に、得意そうな子どもたち。

「うちのお母さんね、こんな料理知らないよ。今度、あたしが作ってあげよう」

「うちねえ、こんなにたくさん、野菜食べないよ」

「うん、これやっぱりピザだね」

私は、喜びで胸が一杯になり、子どもたちほどにはたくさん食べられなかった。こうして子どもたちが、自ら一つの命を作り出し、自らそれを食物に変え、それを食べ、大きくなっていくことを思って。

わが家の裏の、数百坪はあろうかと思われる広い野原には、次から次へと草が生え、草刈りをちょっと怠ると、ススキやセイタカアワダチソウがたんぼの稲よりも高く伸び

たけのこのトマト風味

あく抜きして茹でたたけのこを一口大に切る。玉ねぎとニンニクをみじん切りにして油で炒め、トマトソースを加える。たけのことオレガノやタイムなどのハーブを入れて味が染みるまで煮る。塩、醤油で調味する。

レタスのスープ

ニンニクを潰し、玉ねぎを薄切りにし、バターで炒める。小麦粉を少々混ぜてさらに炒め、水またはだし汁を徐々に注いでとろりとさせる。レタスの葉を小さくちぎり、ハーブ(タイム、ローズマリー、ベイリーフなど)と共に加える。塩、こしょう、醤油で調味する。好みでミルクを加える。

玄米ごはんのピザ風

玄米ごはんに小麦粉と水適量を入れ、よく混ぜ合わせる。これを、油をひいたフライパンに直径15cmくらいに丸く敷き、片面を焼く。裏返して表面にトマトソースを塗り、細く切ったなすと輪切りのピーマンを飾り、削ったナチュラル・チーズを散らし、蓋をして焼く。

てしまう。その一部分を耕して畑にしたのは、前住人の木野さん夫妻である。それを今は五倍ほどに広げたのだが、この土地は粘土質の土に石ころだらけで、その石の大きさがまた、両腕でやっと抱えられるくらいの憎たらしい大きさなのである。

聞くところによれば、昔この近くで崖崩れがあって、落ちてきた石をここに埋め立てたそうな。そんなところを無農薬の畑にするというのだから、人一倍の覚悟がいるというもの。しかし夫は、小さい面積を気の向くままに掘り起こし、雑草もそれほど真剣には抜かず、一通りの野菜を作っている。

何しろ夫は、自然農法の神様と誉れ高い福岡正信の『わら一本の革命』を読んで日本に来たくなり、来るとすぐに、四国にある彼の農園を訪れたという熱意の人だった。だから畑にはクローバーが密生し、その中にちょぼちょぼと野菜が見え隠れしている有様である。

毎年、アメーバ状に増殖するかのようなモザイク模様の菜園には、それでも私たち二人が毎日の惣菜とするには十分な野菜が出来る。この痩せた土地に堆肥をやるだけで、化学肥料や殺虫剤などの農薬は使用せずに、まったく自然の力にまかせて作られる野菜は、化学薬品で育てられる野菜よりは小さい。おいしい部分を虫に食われたりするが、それでも味や香りは十分に濃く、旨味もある。

やはり無農薬で野菜を栽培している米谷さんが、うちの小さい野菜をあわれんで、

「牛糞か鶏糞を入れるといいわよ」とアドバイスをしてくれる。分かってはいるのだけれど、私は、動物性のもののお世話にはなりたくない気がしている。だが夫は、「僕は卵を食べているから鶏糞を入れたい」と主張し、鳥原さんから鶏糞をもらってきて、私の知らないうちに土に混ぜ入れている。しかし、三年、五年と経つうちに、堆肥だけの土もずいぶん柔らかく、軽くなり、人間も土も、年を取るほどに丸みを滞びてくることが分かる。

山際に住んでいると、食料を手に入れようと必死になっている者は私たち以外にもいることが、同情と迷惑と共に知れる。カラスやハトは、もしかすると都会のほうが多いかもしれない。それでも、来て欲しくない時に限ってやって来るものだ。その時のために、畑に豆を撒く時には大地に一粒、私に一粒、そして鳥に一粒と、必ず鳥の分を忘れずに三粒を撒くのが常識である。

生長の真っ最中のとうもろこしやトマトを守るために、黄色い丸の中に黒と銀の目のある風船を立てたり、漁師さんからもらった古い地引網を被せたりと、鳥ならこのようにして自衛するのだが、集団でやって来る賢い猿にはどうしようもない。夜明け時、私たちがまだ寝静まっている頃を見計らってやって来る。見張りがいて人間の動静を見守り、危ない時にはチーチーと鳴いて合図をする。

大根の揚げ出し

大根の皮をむき、約２cmの輪切りにする。軟らかく茹でて水気を拭き取る。水で溶いた小麦粉をころもにし、中温の油で揚げる。天つゆをかけ、大根おろしとしょうがおろしを添える。ゆずを添えると一層、おつ。

ねぎの田楽

太いねぎの白い部分を主にして、緑の部分も含めて４、５cmの長さに切り、４、５本ずつ串に刺す。両面に油を塗って中火で焼き、ゆずや山椒、ごまなどの練りみそを塗る。もちろん照り焼きでもいい。

しらたきとにんじんの白和え

しらたきを一口大の長さに切り、にんじんを拍子木に切る。だし汁に醬油を加えて下茹でし、しっかりと水切りをする。白ごまをすり鉢でする。次に木綿豆腐を茹で、水切りをし、すり鉢に加えてする。酒、みそを加えてさらにする。全部一緒によく和える。ごまをくるみに代えて、くるみ風味にも。

子芋のくるみみそかけ

子芋を皮ごと蒸し、皮をくるりとむく。すり鉢にくるみを入れ、すりこぎですり、次にみそを加えてする。酒を加え、みりんか砂糖で甘みをつける。水またはだし汁を加えてとろりとなるまでのばす。器に子芋を盛り、くるみみそをかける。

考えてみれば、猿の食料を奪っているのは、山や森を切り開く人間の行為の結果なのだから、私たちにもその責任の一端はある。だから、私たちはこれといって猿の被害防止はしていない。猿とも分け合おうではないかと、なすやグリンピースや甘夏や柿や、そして裏山のたけのこなど、分けられるものは猿が食べるにまかせておく。というのは一案あってのこと。猿は時には稲を食べにたんぼに降りて来るからだ。稲を食べられてしまったら、お百姓さんは大変だ。そうすれば猿たちとて、ただではすまされない。駆逐されてしまうだろう。だから、私たちの畑だけで満腹してもらい、さっさと帰って欲しいのである。この迷案は、なかなか悪くはないようだ。

そんな私たちの気持ちが猿にも通じたのか、近頃はたけのこもちゃんと残してくれるようになった。モウソウダケよりも貴ばれるハチクである。せっかくだから少し凝ってトマトソースで煮てみると、猿にもごちそうしたくなるほどおいしい、**たけのこのトマト風味**になった。きしきしと歯に気持ちよく当たるたけのこを噛み締めると、猿だけでなく、モグラや猪、狸や鹿など、まだまだ食物を必要として出没する動物たちに思いはいく。

野菜作りの難関、痩せた土と動物の被害を乗り越えて、一年中まがりなりにも野菜を作る。そして新鮮な野菜たちに、私たちの体を維持する役目を担ってもらっている。虫取りや、間引きや、収穫をするのに野菜畑の中に腰を下ろし、土と野菜に手を触れ、野菜を腕に抱くと、しみじみと自然と共にある喜びが胸に突き上げてくる。同時に、野菜という造型物の不思議さに息を呑む。

野菜を食べずに眺めているだけで、その色や形から、一つの存在としての美が感じられる。だから私はよく、野菜を笊《ざる》や器に載せて眺めたり、観賞するために花器に生けたりする。野菜を一つの存在と感じる時、私はいつの間にか野菜と対話をしている。

田舎に越してきてからの私たちの食事は、都会にいた時とは少し変わった。言ってみれば、平均的都会の食事はハレの食事である。外国産の珍しい食品を含めて多様な食材をスーパーでしこたま仕入れ、それを力を入れて○△風に料理する。あるいは外食やインスタント食品の使用が多い。それと比べると、私たちの田舎での食事はケといえるだろう。

食材の買い物にはあまり出向かなくなり、野と畑と台所にある物を多く使うようになった。何でも新鮮なので（お米さえもみ殻つきで保存し、それを少しずつ脱穀して玄米や白米にする）、料理法は生のままやさっと茹でたり、さっと焼いたりと単純にしてもとてもおいしい。このような食生活が大半の田舎では（最近は田舎でも都会的な食事法になっているが）、名乗りを挙げずとも、皆ベジタリアン的な食事をしていることになる。

メキシコ風ディップとトルティーヤ

A　玉ねぎ小1個、ニンニク1片、ししとう4、5本、ピーマン2個のみじん切りをサラダ油大さじ1で炒め、トマト2個のみじん切りを加えてざっと煮る。塩、こしょう、醬油で調味し、冷やす。

B　さやつきの枝豆250gを軟らかく茹で、さやから出して潰す。カッテージチーズ100gを混ぜ合わせ、塩、こしょう、酢かワイン大さじ1で調味する。

C　自家製トルティーヤを作る——小麦粉2カップに塩と油少々を加え、指でもみほぐし、水を少しずつ加え、耳たぶくらいの軟らかさになるまでこねる。20〜30分寝かし、角型にのばし、三角形に切り分ける。油で揚げる（フライパンで焼いてもよい）。このトルティーヤにディップをつけて食べる。

にんじんとじゃがいものマリネ

にんじんとじゃがいもを輪切りにし、茹でるか蒸す。漬け汁を作る——同量のサラダ油と酢の中に、すりおろしたニンニクと刻んだミントの葉を混ぜ、塩、こしょう、醬油で調味する。この漬け汁に2、3日漬けておく。

春のサラダ

さやえんどうを鮮やかな緑色に茹で、しっかりと水切りをする。新じゃがをせん切りにしてざっと茹でる。サニーレタスを一口大に手でちぎる。ミント、オレガノ、タイムなどのハーブの葉を小さく刻む。茹で卵の黄身をほぐして白身に詰める。器に盛り、二十日大根の赤とハーブの緑で飾る。フレンチ・ドレッシングでいただく。

田園生活を始めてからの私たちの普段の食事は、一汁二菜くらいの質素かつ簡単なものばかりになった。それは台所仕事の手間暇と、使うエネルギーを節約することにもなる。ご飯と味噌汁に和《あ》え物や炒め物が中心で、例えば、かぶのくずあんかけとにらのナムル、**ねぎの田楽**と**しらたきとにんじんの白和え**、**春のサラダ**と**子芋のくるみみそかけ**、**大根の揚げ出し**とそのままアスパラガス、それにお吸い物やら昨日の残り物などを添えて。

確かに気が向けば、そして植物性食品の大きな可能性を発展させたいがために、**メキシコ風ディップとトルティーヤ**だとか、**にんじんとじゃがいものマリネ**とか**豆腐詰めしいたけ**、デザート用にさつまいものマッシュ・ケーキや**サワー・ゼリー**だとかを作ったりもする。しかしそれはたまにである。一日三食は手作りの食事だし、私たちは子どもではないので、こんな粗食でも十分なのかもしれない。

実際、私たちは量的に、体が必要とする以上に食べ過ぎているのではないだろうか。現代はソローが言うように、「シンプルに、シンプルに、シンプルに」食べ、簡単《シンプル》に、質素《シンプル》に、本質的《シンプル》に生きなければならなくなってきた。飢餓、環境、ごみ、健康、どの問題をみても、この「シンプルに」はキーワードになるだろう。病的な現代社会、資源の枯渇、地球環境の危機、それらの暗澹たる状況を克服し、人間誰しもが本当の意味で、健康に快適に生きることが出来る。それはどのようなことかを、自然の懐の中で質素に生きられる田園生活が、教えてくれているのだと思う。

田園生活はまた、農業をやりたい人や大地と切り離されずに生きていきたい人、また自然から学び、それを自分なりに表現することを試みている人々の、それぞれの夢を紡す場ともなってくれるのだ。

畑で野菜の世話をしたり、台所で野菜を料理する時、私は、野菜について考えるだけでなく、野菜から様々な思考を繰り広げる。そして野菜は、野菜を野菜として料理することだけでなく、写真に撮ったり絵に描いたり、野菜についての詩や文を書いたり、野菜で染め物をしたり、様々な創造の源となる。もし私が野菜と共に生きなかったら、自ら野菜を育て、自ら野菜を料理することをしなかったら、私の人生や暮らしはそれほどの広がりはなかったかもしれない。

子どもたちの声が消えた畑で一人作業をしていると、私の周りは、鳥の声と風のささやき、流れる雲のせせらぎと太陽が降り注ぐ響き、そして花の蕾が開くかすかな音に満ちる。平和な至福の時は流れずにそこに止まる。いつの間にか夫が向こうにいて、やはりただ一人、自然を媒体にした静かな冥想の時をもっている。傍らに、夫と並んで前脚を揃え、きちんと正座している愛犬もまた、両耳を下げ、静かに目を閉じている。

豆腐詰めしいたけ

豆腐はざるに入れてほぐし、水気を切る。すり鉢に入れてざっとすり、くるみや落花生、わけぎかねぎのみじん切りを加える。塩、醬油、ごま油少々を加えてよく混ぜ合わせる。つなぎに片栗粉を混ぜる。しいたけはいしづきを取り除き、笠の内側をきれいにして片栗粉をふる。豆腐の具をしっかりと詰める。表面にわけぎのみじん切りをまぶす。蒸し器で蒸すか油をひいたフライパンで水を差して蒸し焼きにする。辣油やからし醬油でいただく。

サワー・ゼリー

寒天2本を水4カップで煮溶かし、好みで砂糖など甘みを加えてかき混ぜ、火から下ろし、梅酒大さじ3を混ぜる。21㎝大のリング型の内側を水で濡らし、寒天をあけ、室温で放置する。どろりとなったら、キーウィ4個を輪切りにし、型の縁に沿って一列に入れる。冷蔵庫で冷やす。固まったら型から出して器にあける。ジャムやヨーグルトを添える(写真は、すもものソースをスプーンですくい、花びら状に落としたもの)。

第８章

夢は続いていく

淡い菫色《すみれ》だった東の空は、いつの間にかほんのりと茜色《あかね》に染まり始めた。まだ夜は明けていないのに、辺りはすでに薄明りだ。なだらかな登り道を、一歩一歩を大切に歩いて行く。その足下では、わずかに前の季節の緑を残しながら、赤紫や茶色に染まったヒメジョオンやスイバのロゼットが、大地にへばりついている。それを踏みしめると、ロゼットたちは心なしか、うれしそうに笑ったようだ。

てっぺんに着いて顔を上げたとたん、視界が大きく開けた。私たちが並んで立ったのは、丘の頂上だった。

空を覆っていた、ピンクと赤と金色の裾濃《すそご》のようなグラデーションの美しいベールを破り、太陽が炎に包まれて現れた。

「あっ、出たわ。初日の出！」

私と夫と愛犬は、今生み落とされたばかりの太陽に向かい、姿勢を正した。

二〇〇一年、ついに二十一世紀になった。その一瞬にこうして、愛する家族と共に今ここに在る。健康で幸せを感じ、過もないが不足もそれほど大ではない。それは私が得ることの出来た僥倖《ぎょうこう》としかいいようがない。僥倖——そう、偶然に恵まれた幸運。自慢出来るような努力をしてこなかった私なのに、一体誰がくれたのだろう。だからこそこの人生は、これからもずっと大切にしていかなければならない、私の宝なのだと思う。

初日の出を見つめる私は、そして夫も、いつもとは違う深い感慨にうち震えた。なぜなら、今、私たちが立っているこの土地は、今、新しい陽光の中でさん然と輝いているこの大地は、私たちが所有する土地だからだ。土地、つまり土と草と木の根っこがあるだけの地面、大地！　だがそれは単にそうなのでなく、私たちが自分の思うままに自由に出来る土地なのである。


「そろそろ考えないとね、この次に私たちが住む場所のこと」

「そうだねえ、土地探しを始めなきゃなあ」

何度かこんな会話を交わしたことがあった。しかし私も夫も、仕事の忙しさや目先の雑事にかまけ、心もからだも一向にそれに向かわないのだった。確かに脳膜の壁には、「この家はやがて持ち主にお返ししなければならない」と印刷された紙が貼られている。確かに心の隅にある花壇には、「その時はいつだろう。その時に困らないように、行き先を確保しておかなければ」と刻まれた心配の種子《たね》を埋めておいた。それなのに、それらをあまり思い出すこともなく、何も始めず、何も始まらないのだった。

振り返ってみると、九〇年代の全部を含めた十数年間を、農村のきわにあるこの古い民家で暮らしてきた。単に自分たちが暮らすだけでなく、この場所をさまざまな事柄に

ほんのわずかだが役立てることも出来た。それは私たちの生き様ともなった。あまり誇れるものではないし、私たちの理想の半分にも届かなかったが、それはそれで仕方ない。これが私たちのもてる力なのだから。

移住してからの前半は、社会と連動してはいるがささやかな活動に力を注いだ。後半になると私は内省的になり、エッセイや評論や翻訳など、文章を書く、という仕事に重点をおくようになった。私の子ども時代の夢は作家になることだったのだが、その夢を追い続けようというのである。その結果、この田園に暮らして書いた著書は、東京で書いた冊数を超えた。テーマは、食と料理から自然生活や植物の世界、そして自伝的人生や生き方についてまで広がった。

請われて講演や講座もするが、その内容も、〝地球環境との共生〟や〝女性としての生き方〟、〝社会問題としての食〟や〝ベジタリアニズム〟など多岐にわたる。ある大学では「結婚とはなんぞや?」と題し、五百人の学生の前での講義にもかりだされた。時にはわが家を会場にしての、〝ライブ・ワークショップ〟が含まれることもあった。

菜食文化についても引き続き研究しているので、ベジタリアン料理の仕事も依頼に応じてやっている。ただし、今の私の料理はあくまでも、生活の、生き方の、そして私の考え方の一要素としての料理だから、料理だけが独立しているのではない。人生や暮らし方を語る際の、例あるいは方法としての料理である。

けれどもいまだに毎日の生活の中で、おいしく美しく出来た料理は夫が撮影をしている。撮影場所はやはり、料理の材料が生まれた自然の中、大地の上である。同じ大地と季節に生きる草花と一緒だと、私の料理はより生き生きと輝くのだ。

夫は、写真撮影と作品の発表、そして後輩の指導をするワークショップを〝職業〟とし、毎日毎日、ただひたすら、撮影と暗室での作業に打ち込んでいる。九〇年代半ばからは、撮影道具をレンズのないピンホール・カメラに変えて、独特のモノクロの世界を創出している。そのために日本の各所、世界の各地へ出かける。また、わが家のスタジオに人が集まって、写真の勉強会をするようにもなった。

そんな時、私は、その季節の旬の材料を使った食事を担当する。だって、こんな生き生きとした環境の中にあって、プラスチック入りの出来合い弁当を食べなくてはならないなんて、とても気の毒だもの。

とまあとにかくも、自分たちにとっては有意義な、と自負出来るくらいの暮らしを、今にも切れそうな細い糸で紡いできたのだった。

次のステップに踏み出すエンジンがなかなかかからなかったのは、私たちの強い思い入れがあったからだ。私たちの田園生活への移行は、ちょうど世の中の指向と重なった。そのためかどうか、私たちの生き方・暮らし方は新聞・雑誌、テレビ・ラジオのマス・

取り入れの後は別世界のたんぼ。秋が遠のく

メディアに取り上げられるようになった。

それに、私が家の中に施したインテリアに関心をもたれるようにもなった。月刊女性誌からやがては建築関連雑誌やインテリア誌にまで。もちろん、私の〝マザーアース・キッチン〟が掲載の主眼だが、合わせて、元は土間だった食堂や、和室から板敷きの洋風に変わったリビングなどにも関心をもたれた。

インテリアのプロではない私にはそれは面映ゆいが、同時に、若い頃にはインテリア・デコレーターを目指したいと思ったほどなので、誇らしい気分でもある。そもそも私が初めてイギリスへ行ったのは、イギリスの工芸家でアーツ・アンド・クラフツ・ムーブメントの主導者だった、ウィリアム・モリスの影響からだった。帰国して私がまずやったことは、東京の木造のわが家の改造だったのである。そして持ち帰ったモリス・デザインのプリント綿は、私の部屋のカーテンやカバーとなって、若き日の体験をそこにとどめている。

こんな私だから、古くて大きな立派なこの日本家屋に住むことは、やはり、一つの夢の実現だったのだ。そしてその幾らかがかなった時から、私は心身共に、すっかりここに安住してしまっていた。この家に対する愛情はとてつもなく大きく、家の改造にかけた情熱はいつまでも冷めず、これは他人の持ち物だ、という意識もその赤々と燃えるほむらの陰に隠れてしまっていたのである。

しかし、しかし、しかし。今もう一度、力を込めて自分自身に強調すると、この場は私の所有物ではなく、他人からの借り物である。鈍いというか、呑気な私がやっとそのことを強く認識し出した時は、遅きに失した感も拭えない。

私は常々、大地は地球に属しているのであって、一個一個の人間が独自に所有するものではない、独占所有してはならない、と考えていた。だからこれまで、なるべくいろいろなものを持たないことに満足していた。なにものも借りて生きる生活で十分だった。そういう私が、今更、小さくはない金銭と引き換えに、地球の一部分を〝自分のもの〟として所有するなんて、と、何か悪行を働いているような後ろめたさを感じるのが真実である。それは夫も同じ思いだ。

だが翻って、遠くはない将来にある自分の末路について考えると、その行き着く先をある程度、見定めておきたい気になった。いやいやそんな終末感よりは、まだまだこれからも、何かすてきなことをやれるだろう、やってみたいという欲が出たのだ。それを徹頭徹尾、自分たちの想像から創造までで作り上げてみたい、という気が起こったのである。他人のものを使うことに気兼ねせず、自由自在、自由奔放に。

私たちがのほほんとしている間に、私たちと同じ時期からこの田園地帯に暮らし始めた友人知人が、ちゃくちゃくと自分自身の家作り、場作りを進ませていた。彼らのほとんどが、やはり改造しながら借家に住んでいたが、自分の持ち家を得、今はもう、暮ら

大地からの豊かな贈物。天日にさらして大切に保存する。先人から伝わるかしこい知恵

しも仕事もそこに定着させている。草山さんしかり。鳥原さんしかり。あの人もこの人も。

時々彼らの工事現場を覗いたり、大工道具を貸したりしてはいたのだが、私たちもそうしなきゃ、とまでは考えなかった。そのことを少々後悔して、私は焦った。

彼らは私たちより若く、三十代、四十代である。若さというものは、見知らぬ土地、しかも田舎に住むためには必要なより良い条件の一つであると思う。便利に孤立的に暮らせる都会生活とは違い、古い共同体の中での新しい生活は、精神的にも肉体的にもかなりきつい面がある。それに耐え得るには若い方がいいし、早く慣れるにも、そして精神力や物理的力で難問をはねかえし、乗り越えるためにも若い方がいい。

「何十倍もの難関を突破して、空き家を斡旋されました」

「近くの会社にすぐに採用されました」

「こっちへ移ってきて間もなく、子どもが生まれました」

こんな喜びに満ちた力強い報告が次々に入ってくるのは、たいてい二、三十代の若い人々からである。

「どうお？　地元のご近所とのお付き合い、大変じゃなあい？」

「ううん、この村には若い人が少ないから、とっても喜ばれているのよ。高齢者ばかりだから、とても助かるよって。親切にされてるわ」

私たち自身の若さ度を考えると、もう待ったなし！　新しい場所での生活は少しでも早い方がよい。そこで遅ればせながら、私たちも土地探し、場所探しの意思を口にするようになった。「この家もそのうち返さなければならないから、次の行き先を見つけなくちゃ。どこかにいい土地ないかしら」とかなんとか、と。

前年の春のある日のこと、友人の陶芸家土山さんが、ひょっこりとわが家を訪れた。ちょうど正午のサイレンがなったので、私は心ばかりの昼食を用意した。いつか試作して撮影をした、〝じゃがいもとパスタのハンガリー風〟と〝タンポポの花のオムレツ〟。それにスープとパンを添えた簡単なものだったが、彼は喜んで食べてくれた。

「そろそろ次に移る場所を探さないとねえ」

と何気なく夫が言い、私も、

「そうなのよねえ」

と軽く口を添えた。すると彼は、待っていたかのように間髪を入れずに言ったのだ。

「この近くに土地がありますよ。知り合いに勧めたんだけれど、道が細いからって、やめた。でもすごくいいところですよ」

思いがけない土山さんの言葉！　価格は、無理すれば私たちに買えない値段ではない。そこで、善は急げ、とばかりに早速車を走らせ、二十分経つか経たないうちにもう、そ

タンポポの花のオムレツ　大1個(2人分)

タンポポの花を数個摘んで花びらだけにする。水で洗い、ざるに上げておく。豆腐$\frac{1}{3}$丁をほぐし、熱したフライパンでから煎りし、水気を切る。豆腐とタンポポの花びらをオリーブ油少々で炒める。塩で下味をつける。卵3～4個をほぐして塩とこしょうで調味し、オリーブ油少々をフライパンで熱して卵を流し入れる。少し固まりかけたら豆腐とタンポポを入れ、卵が固まるまで弱火にかける。タンポポの花を添えて器に盛る。

じゃがいもとパスタのハンガリー風(2人分)

パスタ100gを茹でて水切りする。パスタを茹でている間に次の手順で料理する。じゃがいも4個を小さく切り、軟らかく茹で、ざっと潰す。ニンニク1片をみじん切りにし、パプリカか赤ピーマン大1個を細く切り、オリーブ油で炒める。そこへパスタとポテトを加えて全部一緒に炒め、塩で調味する。パセリのみじん切りを散らす。これを一食分にするときは玉ねぎやキャベツなどの野菜の細切りを加えるとよい。

こに着いていた。なるほど、街道からその土地にたどり着くまでに、たんぼの細道を行かなくてはならない。だが車が一台しか通れないような道は、この農村地帯では当たりまえの、よく見慣れてよく通り慣れている道だ。

慎重に運転してその道を通り抜けると、棚田の面影を残す丘があった。六段のこぢんまりとしたその元棚田は二十年間使われていず、土地の用途の名称である地目は「山林」となっていた。このまま建築可能である。

丘の一番上に立つと、どうだろう、このすばらしい眺望は！　三百六十度ぐるりと、空の青と山や里の緑が取り囲んでいる。向こう側の丘には農家や別荘が建ち並んでいるが、その風景はどこかヨーロッパの田舎を思わせる。頭の上には大きな太陽が輝き、白い雲の浮かんだ青空はとても大きい。たんぼの海の中の、ぽつねんとした孤島のような丘だから、ここに建つ家ではプライバシーがよく保てるだろう。今住んでいるところにヽヽヽ劣らずとも優る場所があったとは！

問題はある。まったくの更地だから道無し、水無し、電気無しで、一切合切をゼロから、いやマイナスからやらなくてはならないことだ。道を作り、井戸を掘り、整地をし、段々の段差をある程度盛り土で埋め……。ああ、自分でやるわけでもないのに、考えただけでもう疲れちゃった。

「普通の人には住めないかもしれないけれど、あなた方のように、何でも創意工夫する人なら、面白く住める場所ですよ」

出来るなら自分もこの土地を欲しいと思う土山さんは、こうおだてて励ましてくれる。彼も移住してきてから、自宅や工房を建てたのだ。そうだ、私たちはこんな山中にもう十数年も暮らしてきたではないか。ふつうの農家をすてきに改造して、それなりに心地好く暮らしてきた。多少の困難はあっても、これまでの知恵と技術と経験を生かせるし、やりがいはあるだろう。私はもうほとんど、「ここに住みたい」と思っていた。

この土地のすぐ近くの畑で、一人の農民が作物の手入れをしていた。六十代半ばの、実直そうな感じのいい男性である。

「ここはどうですか？」

「天国だよ。生まれてからずっとここにいるよ」

全生涯をここで過ごしてきた人が〝天国〟だという場所なら私も住みたい、と強く思った。ここにきてから十分もしないうちに、私も夫も、ここを自分たちのものにしたいと決め、一か月も経たないうちに契約も登記も済ませていた。

ここはどんな場所になるのだろう？　全体の景観は、このひなびた農村の中にあってもそれほど目立たず、周囲に溶け込むようにしたい。建物と環境でいえば、自然エネルギーを多用したエコハウスにしたい。太陽光・風力発電、地下水・雨水利用、浄化排水……。そして気密性、断熱と防音、天窓からの採光、バリアフリーを整えて、今の住ま

私たちみんなの原風景。いつまでも残したい

いにある難点をすべて解消しよう。

私たちはSOHO、つまり自宅就業者だから、私と夫それぞれの仕事場をまず第一に考えて、働きやすい場にしよう。夫の写真のギャラリーも欲しい。

私はこれまで、野に咲く自然の花とともに生きてきたが、それに加え、今度はここに人間の技を入れた花壇を作ってみよう。私が私淑するウィリアム・モリスが言っているように、「庭は家の外の部屋である」ように作り、自生植物と外来植物を、自然の調和が壊れないように気をつけて混ぜて植え込む。果樹や落葉樹を植えて、雑木林を作りたい。果物が実れば、食料難の時やシンプル・フードのための、よい食物となるだろう。

新築でも、旧い日本家屋の良さとデザインの美しさは採り入れたい。と、今住んでいる家を見ながら思っていたら、幸先よく、古材が集められた。二百年以上前に建てられた寺の解体で、彫刻入りの太い梁や檜の柱を、焼かれる寸前に火から救い出してきたのだ。日本建築の美の発想となり、本物の素材となるのがこうした古材だ。これからも集めよう。

一年間は、季節の変化がこの土地の状況をどう変えるかを観察しよう。その間、草刈りをしながら、じっくりとプランを練りながら、同時に近所の住民や自然や地形と知り合うようにする。そして少しずつ準備をしよう。

などとまた呑気に構えていたら、若い建築家の卵、いやひよこの国井君が設計を買って出てくれた。土地を見に来てざっと測量をしたと思ったら、すぐに設計図がファックスから流れ出てきた。その図に向かい、ここをもっと広くして、ここをこうして、と私たちの夢をつぶやいていたら、機械の向こうに聞こえたかのように、描き直した図面がコンピューターから飛び出てきた。

紙の上の縮尺の線では分かりにくい、と夫が荷造りの紐と即席に作った杭で、本物の地面に実物大の図を作った。同じ線でもこちらの方が立体感があり、イメージが摑みやすい。私たちは杭で出来たドアから家の中に入り、紐の壁を伝って空間だけの部屋を歩いてみる。わくわく、どきどきする。だがなぜか実物大よりも小さく感じる。巻き尺で測る長さでは確かに二間あるのに、一・五間くらいにしか感じられないのだ。国井君の話では、こういう場合、小さく感じるのがふつうだそうだ。

私たちが土地を手に入れた、という噂は飛ぶ鳥よりも早く方々に伝わった。すると、あちらこちらから協力の申し出が伝えられた。皆すでに建設を体験しているつわものたちばかりだから、技術や知識は確かだろう。資金の持ち合わせもないのに夢ばかり見ている私たちにとって、彼らは、それで叩いて私たちを現実に目醒めさせる、槌《つち》となってくれるだろう。

設計の国井君たちにボランティア的協力を求めたのは、資金難のせいだけではない。当たり前のようにそこにある町中の平坦な狭い土地でなく、こういう特殊な地形のこの

新しい土地で。著者の家族

ような条件の場合、自然をどう生かしどう変えどう利用して、人間の居場所を作り出すのか。そんなことを考え体験するチャンスを、次代を担う若者たちにもってもらいたいと私と夫は願ったのだ。技術的なことを学ぶ機会は彼らには十分あるだろう。だがそれだけでなく、そこに住む人間の感情や周囲の人間との関係、また太陽・風・雨・大地と人間との関係、そういった生きることに必要な全要素について深く考えて欲しかったのだ。機械構造学的にだけでなく、宇宙要素的にとでも言おうか。

私たちの期待通り、国井君は、よく考え、勉強し、私たちも彼の知識からいろいろなことを学んでいる。

もし私たちの希望通りの住まいが出来たとしたら、そこで私たちはどう暮らしたいのだろう。どのように生きたいのだろう。何か新しいことをしたいのだろうか?

「そうだね。これまでのように二人でクリエイティブな活動をしながら、その創造が生み出される源や過程を、若い人にも体験してもらえるようにしたいね」

「私もね、もちろんあなたと二人で今のように楽しく暮らしたいけど、でもそれだけじゃあ、物足りないわ。これからの生き方を探す子どもたち（年齢は関係ないんだけれど）に、私たちの生き様を見てもらえるようにしたいわ。モデルにはなれないけれど、単なる例としてね。自然からどんなことが学べるのか。学んだことをどう、愛ある平和な社会のために活用するのか。あらあらっ、これはこれからも私がもっと学ばなければならないことだわ」

「まだまだやることいっぱいあるなあ。時間が欲しい。年なんて取っていられないよ」

「でもまあ、あんまり焦らずにゆっくりやりましょうよ。この大地はどこにも行ってしまわないから。私たちの夢がなくならない限り……」

鶯やヒバリの歌声と耕耘機《こううんき》の音とが混ざり合い、丘の上もそのさんざめきで満たされる。それは始まりの躍動。春霞の中で梢高く咲く花が舞い降り、土の上の野の花々と交歓する。森羅万象が巡り巡り、続いていく。私たちの夢や希望もまた……。

あとがき

浅黄色から暗緑色までさまざまに変わる緑の田園、茜色から黄土色にうつろう天地、一年を通してそんな色に身も心も染まって暮らすと、自分が人間というよりは、一つの単なる有機体であるような気がしてきます。傲慢な私が謙虚になれるのは、まったく、この自然の中でこそだ、ということが分かりました。自然と共に生きていると、事あるごとに、いかに人間の力が小さいかを身をもって知るのです。

都会から田舎に移った人間が、どのようにして暮らしを、人生を紡いでいくのか、それはきっと、多くの人の関心事でしょう。私の場合のささやかな体験を綴《つづ》ったのが本書です。与えられた場を生かして何かをしたい、と私と夫は願っていたのですが、多少はかなえられたかと思います。田園でどのように暮らし、何が出来るのか、というテーマにほんの小さな私なりの答えが出たかもしれません。

本書は柴田書店刊『田園に暮す』の文庫版です。執筆に当たっては〝オーガニック・

ライフ〃がコンセプトでした。オーガニック・ライフは〝有機的生活〃とでも訳せますが、この構想は、当時の編集者、阪田誠さんによるものです。「オーガニックとは、単に有機栽培ということではなく、すべてが有機的に機能すべきだという考え方だと思います。土とも、地球とも、人とも有機的につながること」です。あれから世紀を越え、今では〝オーガニック・ライフ〃というタイトルの書籍さえ刊行されるようになりました。

有機的な内容を表現するために、「文、写真、料理の三者がまさにオーガニックな関係をもった構成」にされました。〝料理〃というのは、原本の版元が料理を専門分野としていたからです。けれどもその料理は、あくまでも私の人生の中で遭遇したものであり、料理のための料理ではなく、日々の生活の流れに沿った料理です。今回の文庫化に当たっては、その枠を取り除き、生活ないし生き方を視点の中心に据えました。そのために、写真の伴わない料理は割愛しました。

このたび、文春文庫PLUSに本書が加わることは私にとって、そして本自体にとっても望外の喜びです。より多くの読者の皆様に届くことが出来ます。そこで私は、単に原本の手直しをするというよりは、同じ構想のもとに新たに本を書く、という気持ちで取り組んできました。

文庫化を可能にして下さったのは二人のすてきな女性です。文藝春秋文庫編集部の山ロ由紀子さん。その実現のために心血を注いで下さったフリー編集者の西妙子さん。西さんに私の本と携わっていただいたのはこれが二冊目です。この仕事のためにお二人は、はるばるとわが家に通って下さいました。彼女たちなくしては、本書は世に出ることはなかったでしょう。新生『田園に暮す』と共に、心より感謝を申し上げます。

そしてお二人の感性の生かされた編集によって、装いも一新されました。本書の軸の一つとなるのは、私の夫レビンソンの撮影した写真です。その写真は、原本ではモノクロ写真が主でしたが、全部がカラーになりました。そのうちの多くが今回新たに選ばれた写真です。本文は文体を改め、現在の状況を随所に書き添え、最後の章を書き下ろしました。従って、原本と文庫版はそれぞれが特徴を持ちますので、両方を楽しんでいただくことが出来るでしょう。都会に生きている方、田園に思いをはせる方、これから田園に移りたい方、現在田園で暮らしている方、皆様の手に取っていただければ幸いです。

こうして今、時の推移を見つめてみると、田園の環境はだいぶ変わりました。大型店の進出、観光事業の拡大、住宅の増加、自然の減少、日本中どの町や村にも変化が起きています。またどのような生活にも酸いも甘いもあるのと同様に、田園すなわち田舎に暮らすということにも、良い面ばかりでなく困る面も多々あります。それとどう対処しながら暮らすかは、いつも私たちの課題となっています。

農村の片隅から、日本の社会や世界の出来事を見ていると、痛ましいことばかりが頻発していることに憤りを感じます。とくに子どもたちの存在と生命の理不尽な扱われ方はどうでしょう。いかに大人の心が病んでいるかをうかがわせます。どうしたら癒されるのか、その解決法はなかなか見出せませんが、生活の速度と複雑さから、時には離れてみることも一案かもしれない、と山の端にいて考えます。

ここに綴った出来事は事実に基づいていますが、登場人物はある特定の一人ではありません。短い文章でモデルとして描くほど、人々の人生や暮らしは軽々しくはないからです。氏名も、二、三の例外を除いては架空のものであることをお断りしておきます。

現在、多くの方々が日本各地の田園で、私たちと同じようにそれぞれの夢を紡ぎ、その一部あるいは全体を実現していることに、励まされています。私のオーガニック・ライフは、まだまだ決して十分なものではなく、夢の実現も半分ほどですが、これからもせっせと夢を耕して行きたいと思います。私と夫を支え、助けてくださる遠近多方の大勢の方々に、心からの感謝を申し上げます。

本書が、ほんの少しでも、皆様のこれからの生き方のお役に立つならこれほど嬉しいことはなく、それを切に願っております。

二〇〇一年　夏　タチアオイの花盛る日に

鶴田　静

料理索引

編集　西　妙子

単行本　一九九四年二月　柴田書店刊

文春文庫 PLUS

田園《でんえん》に暮《くら》す

2001年9月10日　第1刷

著　者――――鶴田静《つるたしずか》／写真・エドワード・レビンソン
発行者――――白川浩司
発行所――――株式会社文藝春秋
東京都千代田区紀尾井町3-23　〒102-8008
電話　03-3265-1211
文藝春秋ホームページ　http://www.bunshun.co.jp
文春ウェブ文庫　http://www.bunshunplaza.com
印　刷――――凸版印刷
製　本――――加藤製本

落丁、乱丁本は、お手数ですが小社営業部宛お送り下さい。送料小社負担でお取替致します。
定価はカバーに表示してあります。

ISBN4-16-766025-3

（ ）内は解説者

塩野七生
男の肖像
人間の顔は時代を象徴する。幸運と器量に恵まれた歴史上の大人物、ペリクレス、アレクサンダー大王、カエサル、織田信長、千利休、西郷隆盛、ナポレオンなど十四名を描く。（井尻千男）
し-24-1

塩野七生
男たちへ
フツウの男をフツウでない男にするための54章
インテリ男はなぜセクシーでないか？　嘘の効用、男の色気と涙について——優雅なアイロニーをこめて塩野七生が男たちに贈る毒と笑いの五十四のアフォリズム。
し-24-2

塩野七生
再び男たちへ
フツウであることに満足できなくなった男のための63章
容貌、愛人、政治改革、開国と鎖国、女の反乱、国際化——日常の問題から日本及び世界の現状までを縦横に批評する幅の広さ、豊かな歴史知識に基づく鋭い批評精神と力強い文章が魅力。
し-24-3

曽野綾子
誰のために愛するか（全）
その人のために死ねるか——真摯にして厳しい問いの中にこそ、本当の愛の姿が見える。嫁と姑。息子と母親。友人。夫婦。人間同士の関係が不思議で愛しくなるエッセイ集。（坂谷豊光）
そ-1-19

桐島洋子
男ざかりの美学
日本の風土がはぐくんだいとしき中年男性たちのあるがままの現実を凝視して、するどい洞察力、あたたかな包容力、そして独断と偏見とで、その魅力を探る男の品定めエッセイ。

き-2-5

桐島洋子
聡明な女は料理がうまい
すぐれた料理人の条件は、果敢な決断と実行、大胆で柔軟な発想、明晰な頭脳だ。女性は男並みの家事無能者になってはならない。すぐれた女性はすぐれた料理人なのだ。（桐島かれん）
き-2-7

（　）内は解説者

夕陽が眼にしみる　象が空をⅠ
沢木耕太郎

これからいくつの岬を廻り、いくつの夕陽を見ると、日本に辿り着けるのだろう……。ノンフィクションにおける「方法」と真摯に格闘する日常から生まれた、珠玉の文章群。（一志治夫）

さ-2-10

不思議の果実　象が空をⅡ
沢木耕太郎

インタヴュアーの役割とは、相手の内部の溢れ出ようとする言葉の湖に、ひとつの水路をつなげることなのかもしれない……。デビュー以来、飽くことなく続く「スタイルの冒険」。（和谷純）

さ-2-11

勉強はそれからだ　象が空をⅢ
沢木耕太郎

ただの象は空を飛ばないが、四千二百五十七頭の象は空を飛ぶかもしれないのだ……。事実という旗門から逸脱する危険性を孕みながら、多様なフォームで滑走を試みた十年間。（小林照幸）

さ-2-12

旅をする木
星野道夫

正確に季節が巡るアラスカの大地と海。そこに住むエスキモーや白人の陰翳深い生と死を味わい深い文章で描くエッセイ集。「アラスカとの出合い」「カリブーのスープ」他全33篇。（池澤夏樹）

ほ-8-1

汽車旅は地球の果てへ
宮脇俊三

鉄道ファンなら一度は乗ってみたい世界の鉄道のなかでも、その難しさにおいて屈指の鉄道に挑む。アンデスの高山列車、サバンナの人喰鉄道、フィヨルドの白夜行列車など六篇を収録。

み-6-3

失われた鉄道を求めて
宮脇俊三

赤字路線の廃止や合理化で懐しい鉄道が次々と消えてゆく。沖縄県営鉄道、耶馬渓鉄道、草軽電鉄、出雲鉄道など草に埋もれた軌道で往時を偲び、世の移り変りを実感する。（中村彰彦）

み-6-4

（ ）内は解説者

最後のひと

山本夏彦

かつて日本人の暮しの中にあった教養、所作、美意識などは、いまや跡かたもない。独得の美意識「粋」を育んだ花柳界の百年の変遷を手掛りに、亡びた文化とその終焉を描く。（松山巖）

や-11-8

「豆朝日新聞」始末

山本夏彦

汚職は国を滅ぼさないが、正義は国を滅ぼす！「安物の正義」を売る大新聞を痛烈に嗤いのめした表題作ほか、辛辣無比の毒舌と爽快無類のエスプリの〃カクテル〃五十九篇。（長新太）

や-11-9

愚図の大いそがし

山本夏彦

〃人生教師〃たらんとした版元の功罪を問う「岩波物語」、山本流文章術の真髄を明かした「私の文章作法」など、世事万般を俎上に胸のすく筆さばきの傑作コラム五十六篇。（奥本大三郎）

や-11-10

私の岩波物語

山本夏彦

岩波書店、講談社、中央公論社以下の版元から電通、博報堂など広告会社まで、日本の言論を左右する面々の過去を、自ら主宰する雑誌の回顧に仮託しつつ論じる。（久世光彦）

や-11-11

世はメ切

山本夏彦

「人ノ患《ウレ》イハ好ミテ人ノ師トナルニアリ」と記す「教師ぎらい」、戦前の世相風俗を描いた「謹賀新年」「突っこめ」、現代を抉る「Jリーグ」「小説の時代去る」など名コラム満載。（関川夏央）

や-11-12

『室内』40年

山本夏彦

著者が編集兼発行人をつとめる雑誌「室内」の歩みを振り返り、自らの戦中戦後を語る。「思い出の執筆者たち」「美人ぞろい才媛ぞろい―社員列伝」「戦国の大工とその末裔」など。（鹿島茂）

や-11-13

文藝春秋編
たのしい話いい話1

岡部冬彦、常盤新平、山川静夫、石川喬司、矢野誠一ら粋人十人が披露する、古今東西有名無名、様々な人々の佳話逸話。「オール讀物」の人気コラム「ちょっといい話」文庫化第一弾。

編-2-15

文藝春秋編
たのしい話いい話2

吉行淳之介のラーメン談義、チャーチル一世一代のウソ、芥川比呂志の小咄、マッケンローの潔癖性など、各界の著名人の愉快なエピソードを満載。「ちょっといい話」文庫化第二弾。

編-2-16

文藝春秋編
無名時代の私

誰だって、初めから脚光を浴びていたわけではない。夢を追いつつ満たされない日々、何をやろうか模索していた時……有名人69人が自らの苦しく、懐しい助走時代を綴った好エッセイ集!

編-2-17

文藝春秋編
心に残る人びと

誰でも、貴重な出会いのシーンや忘れられないあの人の思い出が、ひとつぐらいは胸に浮かぶもの……。遠藤周作、佐藤愛子、岸田今日子、辻邦生ら著名人75人が語る出会いのエッセイ集。

編-2-21

文藝春秋編
オヤジとおふくろ

各界著名人がオヤジ、おふくろの思い出を綴る「文藝春秋」の長寿連載から、百篇を厳選。荒木経惟、久世光彦、中島らも、美輪明宏、群ようこ、森毅、渡辺えり子……を育てた人はこんな人!

編-2-28

文藝春秋編
あの人この人いい話

通りすがりの少女の厚意から著名人の意外な素顔まで。魅力溢れる人々を山川静夫、矢野誠一、水口義朗、山根一眞がするどい観察眼で描き出す「ちょっといい話」文庫化第三弾。

編-2-29

明治のベースボール
'92年版ベスト・エッセイ集
日本エッセイスト・クラブ編

「手ぬき世代の味覚」、「頭のよすぎる馬」など、身近な心あたたまる話から、環境、高齢化社会の問題までを軽妙なエッセイに託し、全国の有名無名の人々が綴った名品六十篇を収録。

編-11-10

中くらいの妻
'93年版ベスト・エッセイ集
日本エッセイスト・クラブ編

懐かしい昔の味が甦る「支那そば」、本棚に隠した金を探してくれ――「父の遺書」に秘められていた謎をどう解いたか等々、人生の織りなす哀歓を描きつくした珠玉のエッセイ六十二篇。

編-11-11

母の写真
'94年版ベスト・エッセイ集
日本エッセイスト・クラブ編

年間ベスト・エッセイのシリーズ化、十二冊目。書かれるテーマは毎年、似ているようで、確実にそれぞれの時代を反映している。時の移ろいと変わらぬ人の心を見事に捉えた六十一篇。

編-11-12

お父っつあんの冒険
'95年版ベスト・エッセイ集
日本エッセイスト・クラブ編

宇野千代さん晩年のエッセイ「私と麻雀」、漱石の名作を枕に〝論証〟を試みた「『こころ』の先生は何歳で自殺したのか」など、選び抜かれた六十四篇のエッセイ名鑑'95年版。

編-11-13

父と母の昔話
'96年版ベスト・エッセイ集
日本エッセイスト・クラブ編

明治・大正の人々を絶妙に描く森繁久彌の表題作ほか、司馬遼太郎「本の話」、田辺聖子「ひやしもち」、林真理子「理系男と文系男」など世相を映し著者と読者を共感でつなぐエッセイ65篇。

編-11-14

司馬サンの大阪弁
'97年版ベスト・エッセイ集
日本エッセイスト・クラブ編

大作家が相次いで亡くなった96年。田辺聖子「司馬サンの大阪弁」瀬戸内寂聴「孤離庵のこと」の他、「娘の就職戦争」「ボランティア棋士奮戦記」など、激動の世相を映す六十一篇を収録。

編-11-15

（　）内は解説者

酒井順子
たのしい・わるくち

悪口って何でこんなに楽しいの？　自慢しい・カマトト・慇懃無礼……あなたの周りの女性たちの化けの皮を剝ぐ、人気コラムニストのイジワルな視線と超一級の悪口の数々。（長嶋一茂）

さ-29-1

岸本葉子
幸せな朝寝坊

不動産屋にイビラれ、老後のことも気になり出した一人暮らしの三十代。大変なことも多々あるけれど、やっぱり機嫌良く暮したい。日常の喜怒哀楽を率直に綴ったエッセイ集。（白石公子）

き-18-1

岸本葉子
30前後、やや美人

若さあふれる20代とはちがうけど、今の自分も嫌いじゃない。「マンションを買う」「コインロッカーおばさん」「自分の声は好きですか？」など共感エッセイ85篇。（平野恵理子）

き-18-2

ナンシー関
テレビ消灯時間

消しゴム版画の超絶技巧とピリリと辛い文章で、うのが、なお美が、鶴太郎が、ヒロミ・ゴォウが情け容赦なく切り刻まれる。〝テレビ批評〟の新たな地平を拓いたコラム集。（関川夏央）

な-36-2

大石静
わたしってブスだったの？

失恋はいい女の条件だ！　別れた男女は遠い親戚？　「あなた好みになりたい」は不健康。不倫のｓｅｘはなぜいいのか？　人気脚本家による大胆素敵な体験的恋愛論。（残間里江子）

お-21-1

大石静
男こそ顔だ！

幼稚園から名門女子大の付属に通った〝良家の子女〟はいかにして人気シナリオ・ライターになったか？　大人の恋愛論からＴＶ界の内緒話まで、話題満載の痛快エッセイ集。（麻生圭子）

お-21-2